認知症が気にな

川島隆太教授の

健康脳ドリル 110日

ひらめきパズル編

川島隆太（東北大学教授）監修

気楽に始められる脳トレーニング

脳は何歳からでも鍛えられる！

「挨拶してくれたあの人、誰だっけ？」

「この言葉、どんな漢字か思い出せない」

皆さんも、こんな経験をしたことがあるかもしれません。

物忘れのほかにも、ガスコンロの火を消し忘れるなどの注意力の低下は、脳の認知機能が衰えたことにより起こります。

何の対処もしないと、徐々に考える力・判断力が弱まり、やがて症状が進行すると、日常生活や社会生活を送ることが難しくなっていきます。

加齢とともに低下する認知機能ですが、これをつかさどるのが脳の前頭葉（おでこのあたり）にある「前頭前野」という部分です。前頭前野は、人間らしい生活をするための高度な働きをする場所です。ここを鍛えることにより、認知機能が向上するのです。

脳機能の衰えには前頭前野を鍛えることが重要です。

それでは、どのようにして脳を鍛えればよいのでしょうか。

本書にある簡単な計算や漢字の読み書き、絵の違いを探す問題に取り組むことが非常に有効です。このような脳のトレーニング（脳トレ）を続けることにより、認知機能が向上し、脳の神経回路がより複雑に発達して、働く脳へと変わるのです。

さあ、思い立ったが吉日。

さっそく脳のトレーニングを始めましょう。

なぜなら、**脳の機能は 20 歳からどんどん低下**しているからです。

では、20 代から脳のトレーニングをしていなかったから、手遅れ？

そんなことはありません！

脳はいくつになっても鍛えられるのです。

私たちの研究により、**どの年代であっても脳のトレーニングをすると脳の認知機能が向上する**ことが証明されました。

実際に 1 か月間、脳のトレーニングをした人を検査すると、情報を処理する力や記憶力はもちろん、判断力、集中力、アイデアを出す力、感情のコントロールなどの認知機能が向上していることがわかりました。

本書では、**「頭の回転力」「注意・集中力」「記憶力」を働かせる問題を解く**ことで脳を効率よく鍛え、認知機能を向上させるようになっています。

本書には楽しいパズルが満載です。毎日続けて、自分らしく生き生きした生活を送りましょう。

東北大学加齢医学研究所所長
川島隆太教授

仕方がないとあきらめない！

脳の衰えとは？

脳が衰えると、どうなるのでしょう。台所に来たのに何をしに来たのかわからない、夜に飲む薬を朝に飲んでしまう、という**物忘れや注意力の低下**が起こります。

それだけではありません。

人との会話の理解が進まない、新しいことへの意欲の低下も起こります。さらに**イライラして怒りっぽくなり、感情を抑えられなくなる**症状も見られるようになります。

このような脳の衰えを放っておくと、やがて、日常生活や社会生活を送ることが徐々に困難になっていきます。

脳の衰えは、「前頭前野」の働きが弱まることによって起こるので脳の衰えを防ぐためには、前頭前野を鍛える習慣を身につけることが重要なのです。

本書のパズルを解くことで、前頭前野を鍛え、脳の衰えを緩やかにしたり、認知機能を向上させたりすることができます。

４人に１人が認知症とその予備軍！？

認知症は最もなりたくない病気とも言われていますが、ある日突然発症するわけではありません。認知症になる前に、脳の機能が徐々に衰え、**正常な状態と認知症との間である「軽度認知障害」の段階**になります。

軽度認知障害の段階は、記憶の障害が認められるものの、日常生活の動作には支障がありません。しかし、軽度認知障害の人は、年間で 10 ～ 15％が認知症に移行するという研究もあります。そのため、この段階は「認知症予備軍」と呼ばれているのです。

厚生労働省の発表によると、※**軽度認知障害者と認知症患者数の合計**は 862 万人と推定され、なんと **65 歳以上の高齢者４人に１人**という結果になりました。

歳を取るにつれ、物忘れなど脳の機能が衰えるのは自然なこと。しかし、仕方がないとあきらめるのはやめましょう。**脳も体と同様に鍛えることで衰えを抑えたり、認知機能を向上させたりする**ことが可能です。

脳トレはいたって簡単。気楽に日課としてやり続けることが大切なのです。

「軽度認知障害」５つの定義

①記憶障害の訴えが本人または家族から認められている
②日常生活の動作は正常
③全般的な認知機能は正常
④年齢や教育レベルの影響のみでは説明できない記憶障害がある
⑤認知症ではない

※「日本における認知症の高齢者人口の将来推計に関する研究」（2014 年, 九州大学二宮利治教授）

脳トレのポイント①

簡単な問題を速く解く

脳の健康を守るうえで、重要な脳トレ。しかし、難しいことは一切ありません。１ケタの足し算や文字や数字を扱った単純な問題を解くだけでよいのです。

実は、こうした簡単な問題を処理しているとき、脳が活性化することがわかっています。難しい問題に取り組むよりも、いたって簡単な脳トレを繰り返すほうが、脳を最も活性化させることが証明されているのです。

脳トレの重要なポイントは１つです。

それは、パッパッパッと**できるだけ速く解くこと**。

脳トレは、学校のテストと違って、正解を出すことはさほど重要ではありません。

間違えることをおそれず、自分の限界速度で、できるだけ速く解くことが重要なのです。なぜなら、できるだけ**速く解き続けていくと、脳の情報処理速度が上がっていく**からです。**頭の回転力がどんどん向上**して、脳の前頭前野の働きがアップし、脳の認知機能を向上させる効果があるのです。

脳トレの重要ポイント

最大限速く解く ➡ 脳の情報処理速度が向上する

脳トレは、最大限集中して速く行うことで、より効果を発揮します。脳をめいっぱい働かせるので、かなりの労力も必要となります。

1日のトレーニング時間は10分から15分以内としましょう。

それ以上の時間になると、自分の最大限の力が発揮できなくなったり、集中力がとぎれがちになったりします。**短い時間で集中して全力を出す**ことが、脳の機能を向上させるために重要なのです。

慣れてくると、「もっとたくさんの問題を解きたい」「たくさんやるほどいい」という気持ちになるかもしれませんが、とにかく短時間でスピーディーに行うことが脳の働きをよくするコツです。

また、トレーニングは毎日続けましょう。2～3日に1回とか、たまにやる程度では、脳トレの効果は発揮されません。自分のやりやすい時間帯でかまいません。**1日1回、10～15分間、集中して脳トレを継続的に行い、脳の健康を守りましょう**。

脳トレのポイント②

「速さ」と「記憶」で脳の力が向上する

脳は使わないと認知機能がどんどん衰えていくようになります。年齢を重ねれば頭の回転が鈍くなってきたり、記憶力が徐々に低下したり、脳の衰えを感じる機会が増えてきます。これを防止するには、やはり脳の前頭前野を鍛えることが有効です。単純な計算や音読、漢字の読み書きをやることで、前頭前野を活性化させることができます。

そこで、重要なことは、**計算や読み書きで脳を活性化させた上で、「速さ」「記憶」を意識して脳トレを行う**のです。これにより**「働きやすい脳」に生まれ変わらせる**ことができます。

また、脳トレにより、「速さ」や「記憶」とは関係のない、集中力や注意力といった他の認知機能を向上させることも研究によりわかってきました。

「速さ」と「記憶」を意識した脳トレによって、衰えた脳の働きを取り戻していきましょう。

脳が鍛えられるしくみ

数字や文字の問題を解く（脳の活性化）

活性化した脳で「速さ」や「記憶」を鍛える

より働きやすい脳になる！

脳の回転速度を高めるためには、じっくり考えて正解を答えるのではなく、**間違いを気にせず、できるだけ速く解いていくことが重要**です。ぜひ自分の最大限の速さで挑戦してみてください。そうすることで脳の情報処理速度が徐々に高まっていきます。

本書には**「しりとり計算」「足し算ペア」など簡単な計算パズル**がありますので、**「速さ」を意識しながら取り組みましょう**。

記憶力を鍛える問題には「熟語でしりとり」「観光地パズル」「記憶で足し算」などがあります。こちらも「できるだけ速く」を意識して集中して解きましょう。

「記憶で足し算」は、一時的な暗記をしながら計算する、という**頭の回転と記憶力の両面を鍛える**問題です。

さらに**「仲間はずれ探し」**のような**絵の細かい違いを見分ける「注意力」が必要な問題もありますから、脳の認知機能をバランスよく働かせる**ことができるのです。

各問題には，鍛える認知機能がわかるように，「記憶」「頭の回転」といったアイコンで表示しています。

速さと記憶を意識して解く！

脳トレのポイント③

脳を鍛えて生活の質を向上

脳トレがもたらす良い影響は、もの忘れなど記憶への効果だけではありません。計算力や頭の回転が速くなるだけではなく、**日常生活全体の質を上げるよい効果があることが最新研究によりわかってきました。**つまり、毎日、脳トレを続けていくと、記憶や計算とは関係のない、次にあげる生活に役立つ能力も向上していきます。

●感情をコントロールでき、穏やかな生活をおくる

脳が衰えてくるとささいなことでも感情を抑えきれなくなる症状が出ることがあります。脳トレで前頭前野を鍛えることで突発的な感情をコントロールすることが期待できます。穏やかな気持ちで過ごし、**周りの人たちとより良好な関係を築く**ことができるようになります。

突発的な感情をコントロール

コミュニケーションが取りやすくなる

●生活の中での注意力・判断力が高まる

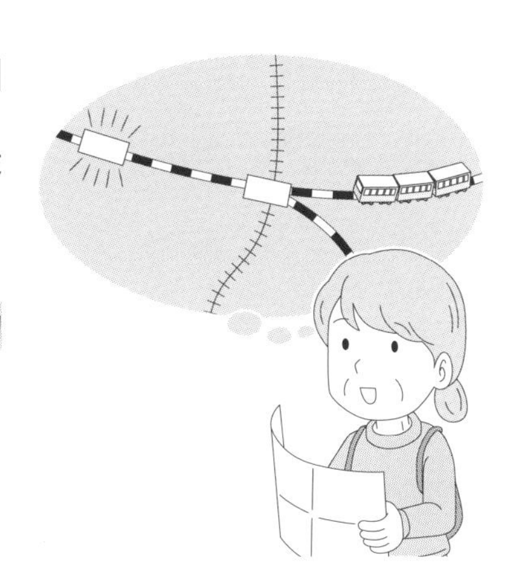

脳トレにより注意力や判断力、空間の認知能力も高まります。買い物などの外出時に乗車する電車やバスの経路を判断したり、道に迷わずに**目的地に行ったりするための注意力・判断力や空間の認知能力が高まります。**

また、判断力は、社会の中でルールを守ることにも役立ちます。

●興味・関心・やる気が出る

さらに、**新しいことに対して興味や関心が芽生え、やる気を高める効果**もあります。俳句や絵画などのサークルに入るなど、新しいことにチャレンジすることで心が豊かになり、新たな人との出会いもあるでしょう。人との交流は脳に刺激を与え、認知能力を高めることにもなります。

このように脳トレを行うことで色々な生活の質の向上が期待できます。

本書の使い方

遊びながら脳の認知機能がアップ

本書の脳トレは、**「頭の回転力」「記憶力」「注意・集中力」の認知機能向上**をはかります。

各パズルが、どのような認知機能に効くのか、ページの上部に右のアイコンで示しています。**問題を解く際は、何に効くのか意識しながら取り組みましょう。**

また、前のページで紹介したように、**集中してできるだけ速く解く**ように心がけてください。そうすることにより、徐々に「働く脳」に生まれ変わります。

〈認知機能のアイコン〉

記憶 ＝記憶力

注意・集中 ＝注意・集中力

頭の回転 ＝頭の回転力

頭の回転力　情報を処理する能力

「頭の回転力」とは、情報処理能力のことです。集中してすばやく**単純な計算を繰り返すことで、頭の回転力が向上**します。自分ができる限界の速さで集中して解き進めましょう。

しりとり計算

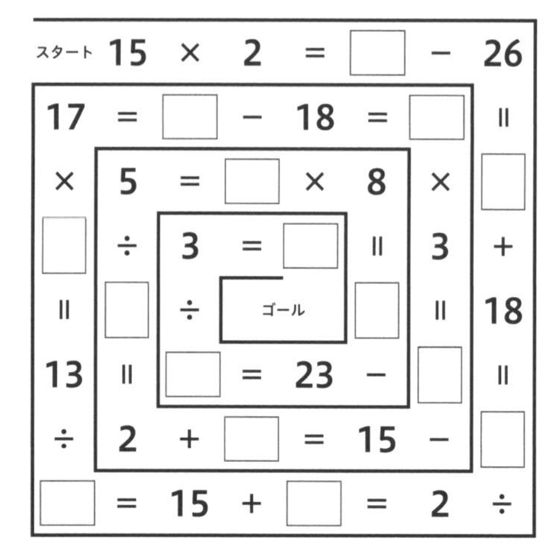

記憶力　短期記憶と思い出し記憶

「記憶力」の問題には、一時的に数字などを覚える「短期記憶」の問題と、昔習った漢字を思い出して解く「思い出し記憶」の問題があります。

右にある「記憶で足し算」では、計算のルールを覚えて、足し算をすることで、「記憶力」と「頭の回転力」を同時に鍛えることができます。

記憶で足し算

10は3　50は2　100は1　を10～20秒で覚えましょう。

上の問題文を手か紙でかくして、足した数を答えましょう。

① 100 100 50 50 100 10 ＝ 合計

② 50 100 10 50 10 50 ＝ 合計

③ 100 100 100 10 50 100 ＝ 合計

④ 10 50 50 100 50 50 ＝ 合計

⑤ 50 100 100 50 50 10 ＝ 合計

注意・集中力　注意して物を見分ける能力

同じような絵の中から違うものを見つけることで、物を見分けられる「注意・集中力」を鍛えます。

また、右のように漢字のパーツがバラバラになった問題で、「注意・集中力」とともに「記憶力」を鍛えるものも掲載しています。

どの問題も遊びながら楽しく解けるものばかり。楽しみながら毎日続けて、認知機能を高めていきましょう。

漢字ジグソー

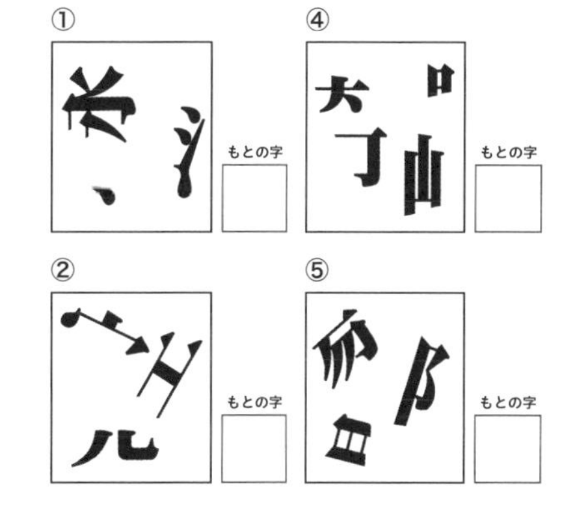

熟語でしりとり

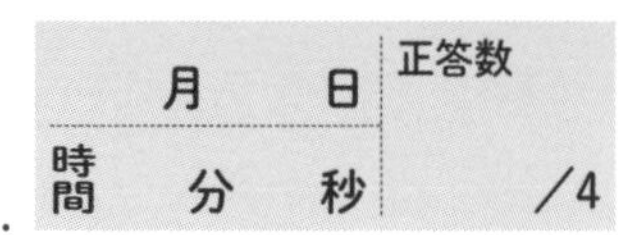

札にある熟語の読みでしりとりをします。しりとりですべての札がつながるように左から読みを書いて並べ替えましょう。

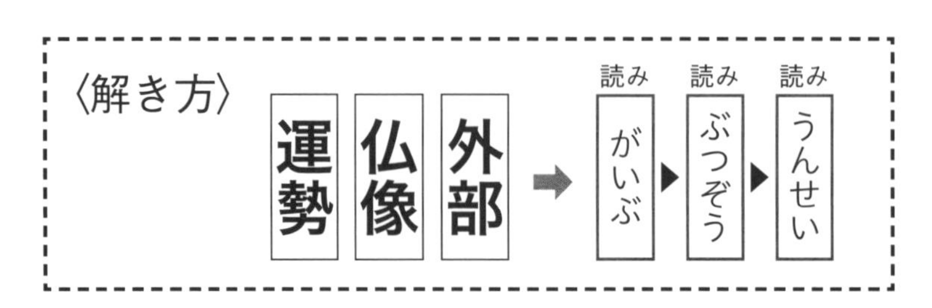

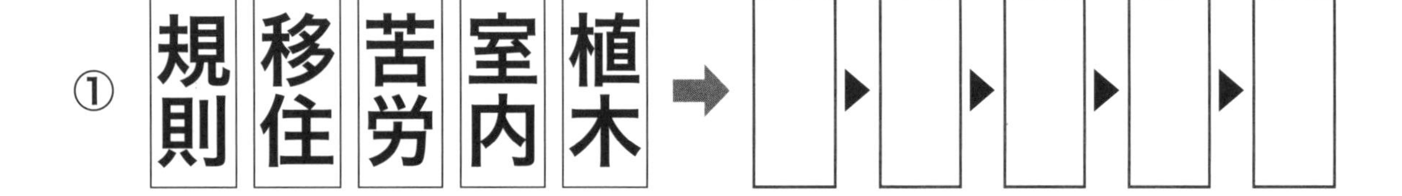

② 自治　理性　踏切　意地　豊富

③ 領域　海辺　自重　勤務　便利

④ 衣服　羽毛　熟語　工夫　誤解

2日 記憶 注意・集中 二字熟語パズル

月　日	正答数
時間　分　秒	／4

二字熟語が３つに分かれています。もとの二字熟語を答えましょう。

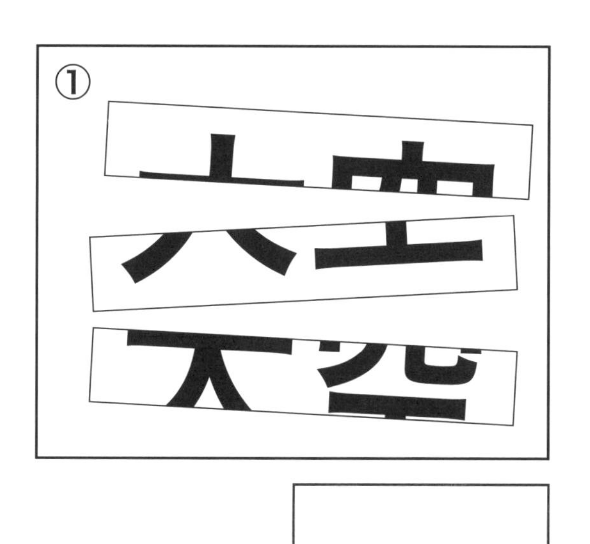

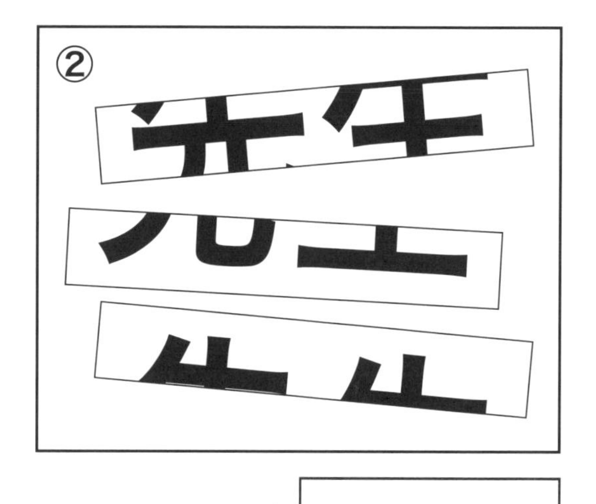

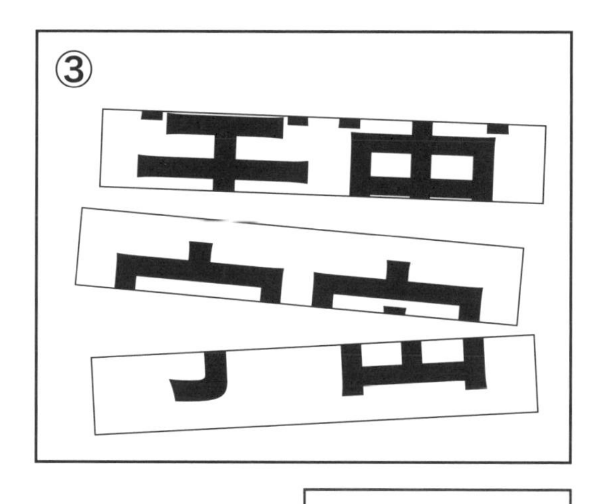

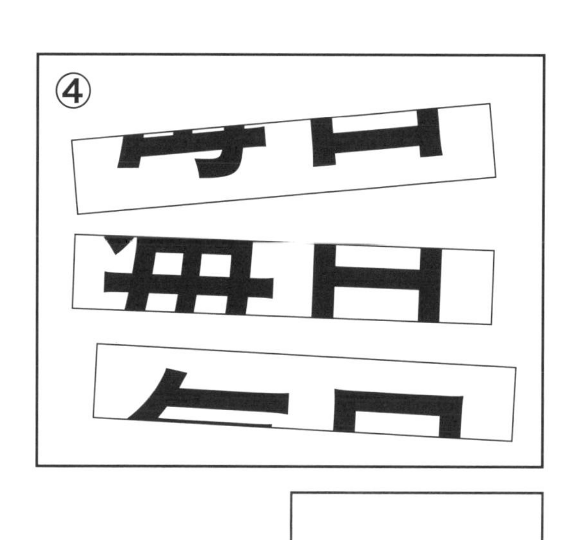

漢字絵

「山」を使った漢字絵です。この中に違う漢字が８つ交ざっていますので、○で囲みましょう。

間違い　8か所

　　　　　山山　　　　　　　山

　　　　山山山山　　　　　山山山山

　山山山山山山山山　　山山山山山山山

山山山山山山山山山　山山山山山山山山

山山山山山山山山　山山山山山土山山山山

山山土山山山山　山山山山山山山山山山山山

山山山山山山　山山山山山山山山山山山山山

山山山山山　山山山山山山山山山　山山山山山

山山山山　山山山山山山山山山　山　山山山山山

山　　　山山山山山山山山山　山山山　山山山山山

　山山山仙山山山山山山山　山山出山山　山山山山山

山山山山山山山山山山山　山山山山山山山　山山山山山

山山山山山山山山山　　山山山山山山山山山　山山山山山

山山山山山山山山山山山山山山山山山山山山山　山山山山山

山山山山山山山山　缶山山山山山山山山山山山山　山山山山

山山山山山　　　山山山山山山山山山山山山山山山　山山山

山山山　山山　山山山山山山山山山山山山山山山山山山山

山山　山山山山山山山山山山山山山山山山山山山山山山　山

山　山山山山山山山山山山山山山山山山山山山山山山　山山

　山山山山山山山山山山山山山山山山山山山山山山　山山山

山山山山上山山山山山山山山山山山山山山山山山　山干山山

山山山山山山山山山山山山山山山山山山山　　　山山山山山

山山山山山山山山山山山山山工山山山山　山山山山山山山山

山山山山山山山山山山山山山山山山山　山山山山山山山山山

山山山山山山山山山山山山山山山山　山山山山山山山山山山

しりとり計算

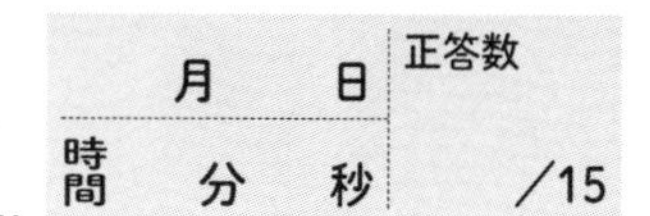

スタートからゴールまで、答えを□に書いて計算しましょう。

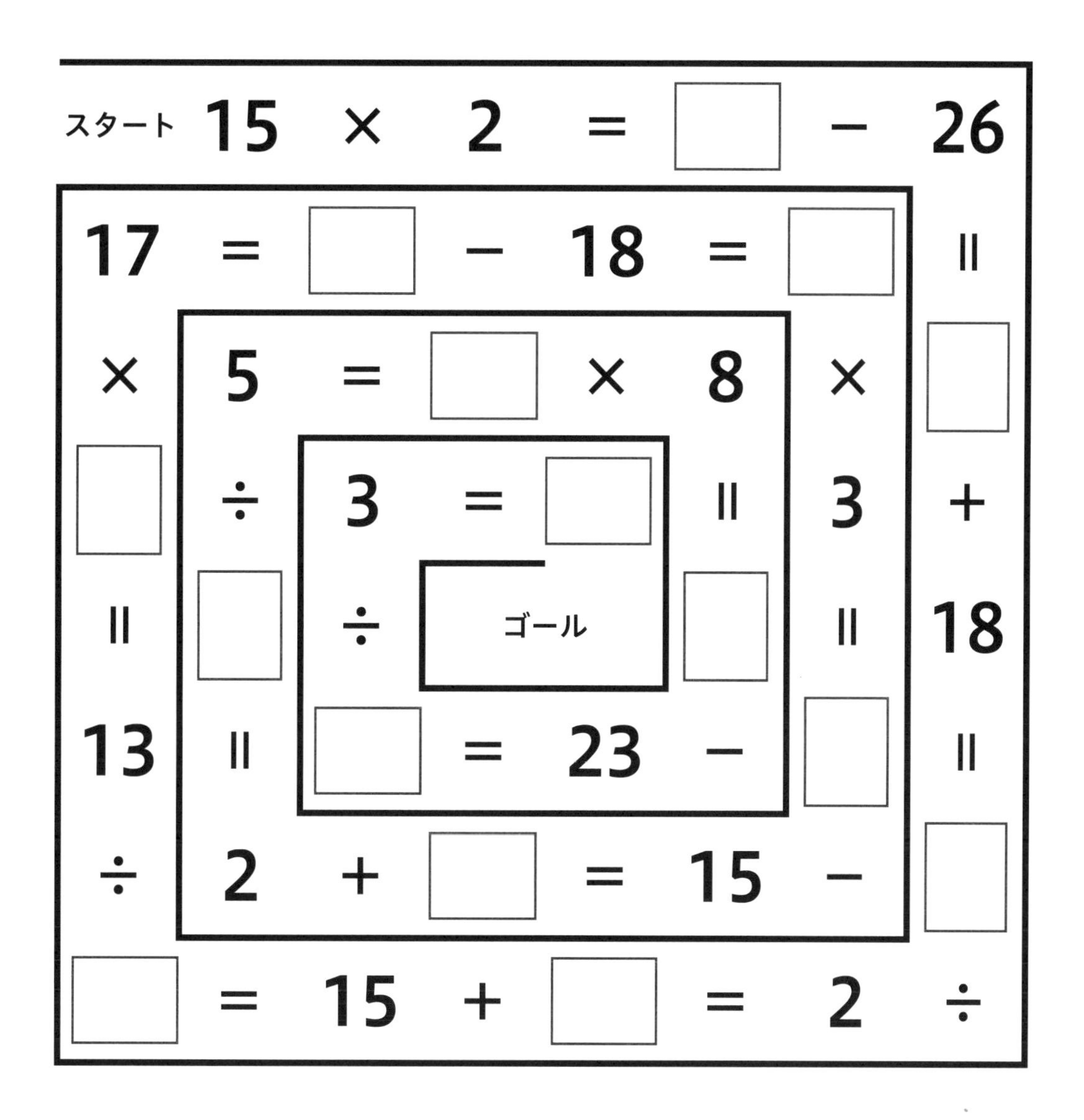

観光地パズル

月　日	正答数
時間　分　秒	／14

リストの中から漢字を選んで、観光地の名前を完成させましょう。

たて しな こうげん
① 蓼□高原　（長野県）

と　わ　だ　こ
② 十□田湖（青森・秋田県）

べっ　ぷ　おんせん
③ 別□温泉　（大分県）

し てん のう　じ
④ 四天□寺　（大阪府）

くろ　べ
⑤ □部ダム　（富山県）

い　か　ほ　おんせん
⑥ 伊香□温泉（群馬県）

しらかわ ごう
⑦ 白川□　（岐阜県）

いずも　たいしゃ
⑧ 出□大社　（島根県）

ざ おう れん ぽう
⑨ 蔵王□峰（宮城・山形県）

きよ みず でら
⑩ 清□寺　（京都府）

あき よしだい
⑪ □吉台　（山口県）

なると　かいきょう
⑫ 鳴□海峡　（徳島県）

ちゅ　うみ すいぞくかん
⑬ 美ら□水族館（沖縄県）

いぬぼう さき とうだい
⑭ 犬吠□灯台　（千葉県）

リスト

海	和	府	門	黒	保	科
連	水	秋	雲	郷	埼	王

仲間はずれ探し

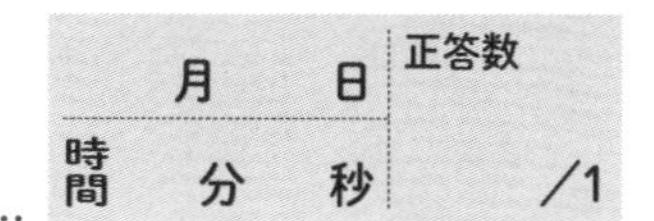

1つだけ他と違っている絵を探しましょう。

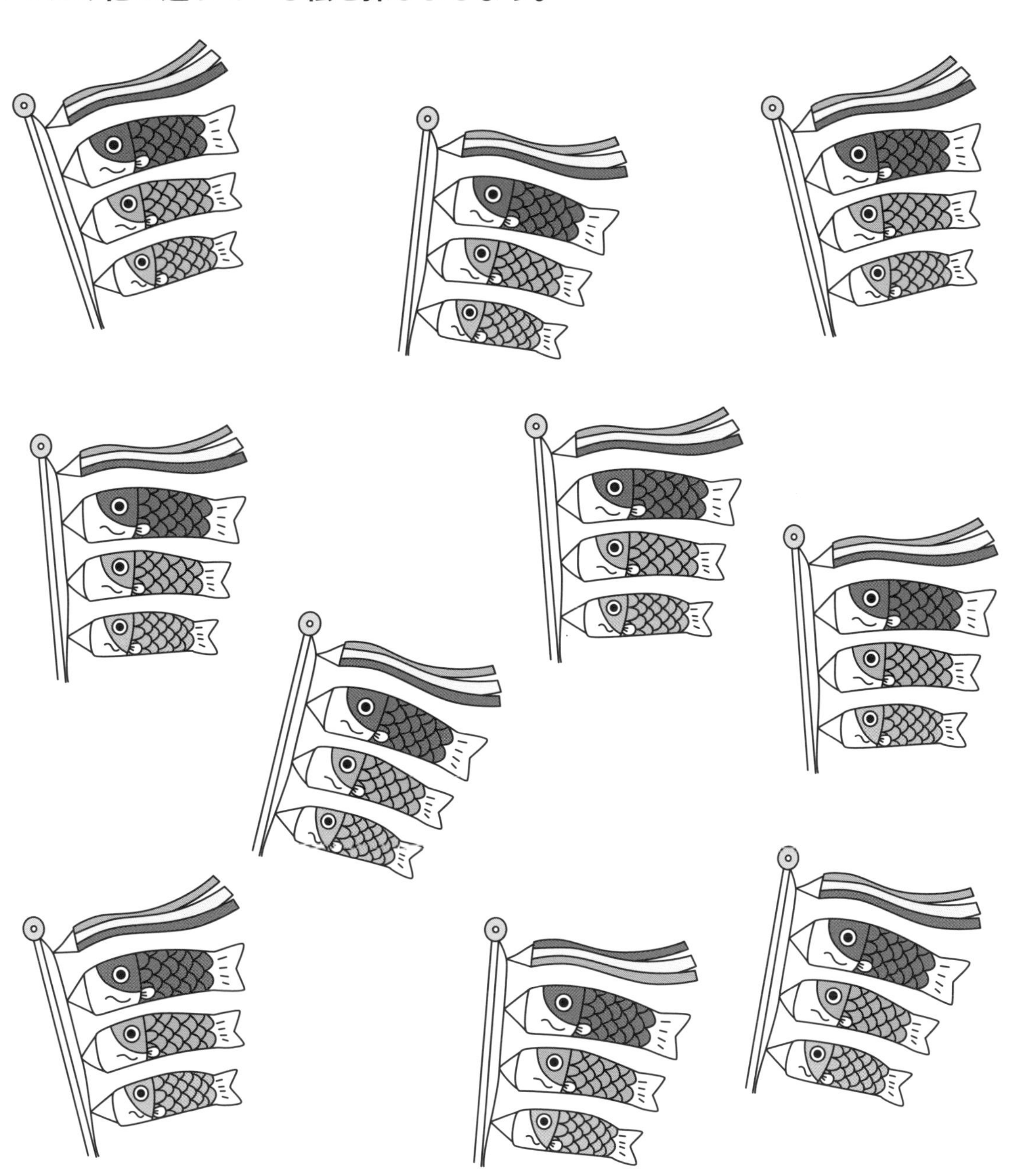

月 日	正しいマスの数
時間 分 秒	／18 ／20

計算の答えが下のようになるマスをぬり、最後に現れる文字を答えましょう。正しいマスがぬれていれば正解です。

① 答えが１か２か３になるマスを鉛筆でぬりましょう。

3＋1	8－3	6＋1	7－4	1＋6	7－1	2＋2	9－2	5＋6	8＋9	9＋9	2＋7	6－4
3＋5	2＋8	2＋1	2－1	3－2	5－2	4＋8	7＋6	5－1	1＋1	6＋3	4－2	2＋3
4＋1	6＋9	8＋6	1＋2	3＋9	8－5	8－4	9－3	5＋3	8－2	8－7	9＋4	3＋2
7＋1	9－1	4＋5	5－4	8＋2	6－3	1＋3	7－3	6＋7	4－1	7＋4	5－3	3＋3
5－5	1＋4	9－6	9＋7	8－1	9－7	6－6	3＋4	9－8	3＋7	7－2	2＋5	9－4

② 答えが４か５か８になるマスを鉛筆でぬりましょう。

9＋1	3－1	3＋8	7＋6	6－4	4＋9	7－7	7＋1	1＋4	6＋9	8－6	3＋2	5＋5
2－2	1＋3	9－1	8－4	9＋4	7－5	2＋9	4－3	8－1	6＋6	9＋8	5－4	9－5
8＋3	9－8	4＋7	1－1	8＋9	4－1	7＋3	8－3	2＋3	5－5	3＋1	1＋1	8－7
7＋8	2＋1	5－3	8＋5	6－6	5＋1	9－2	4＋5	3－3	1＋9	4＋4	5＋8	9＋6
6＋2	9－4	2＋2	7－2	2＋6	7－1	4＋1	1＋7	5＋3	6－2	2－1	5＋9	3＋6

8日 注意集中 記憶 漢字ジグソー

月 日	正答数
時間 分 秒	／8

漢字のパーツを組み合わせて、漢字１字をつくりましょう。

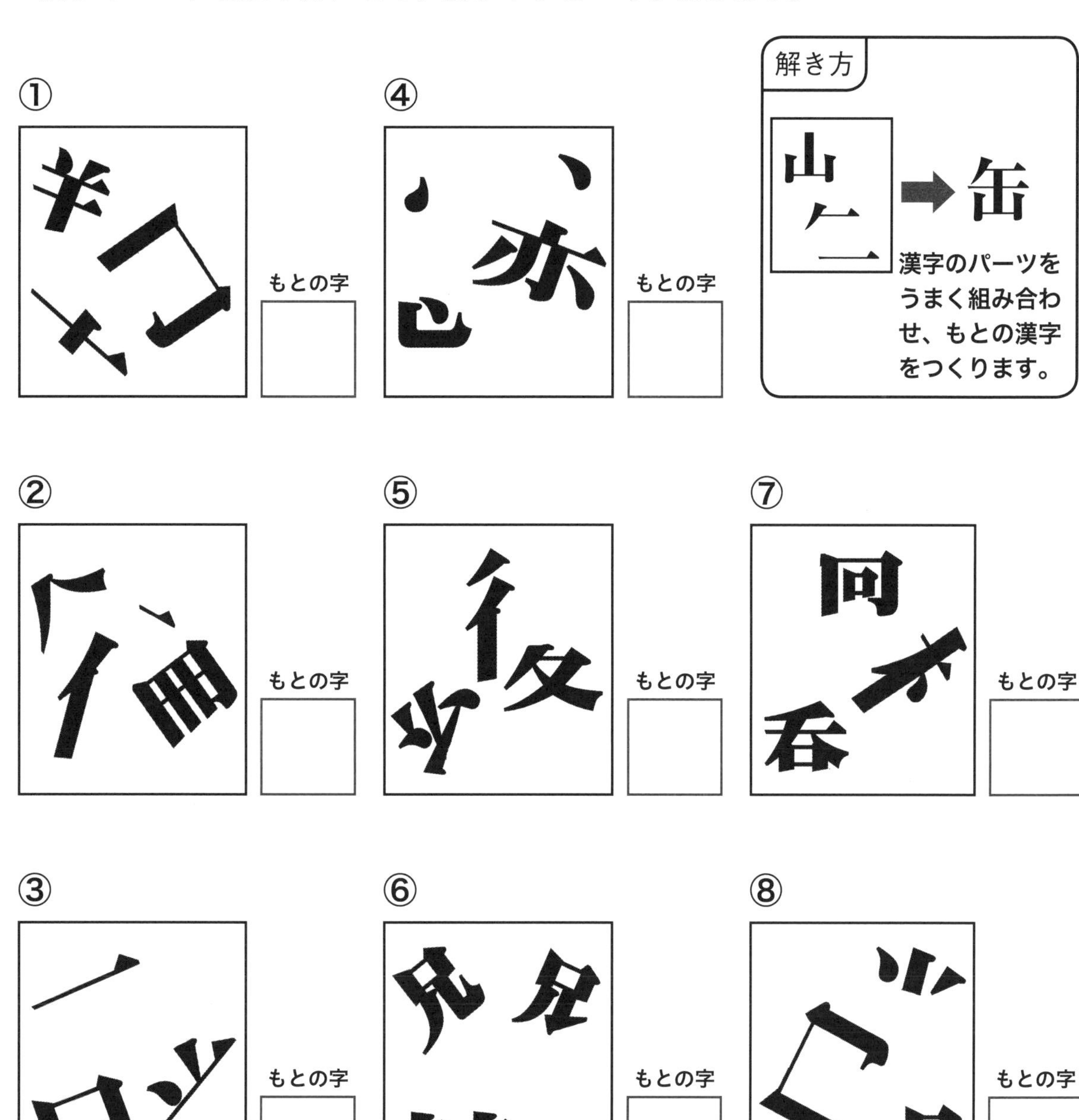

9日 記憶 注意・集中 熟語カード

月 日	正答数
時間 分 秒	／6

カードに書かれた漢字を組み合わせて、三字熟語をつくりましょう。

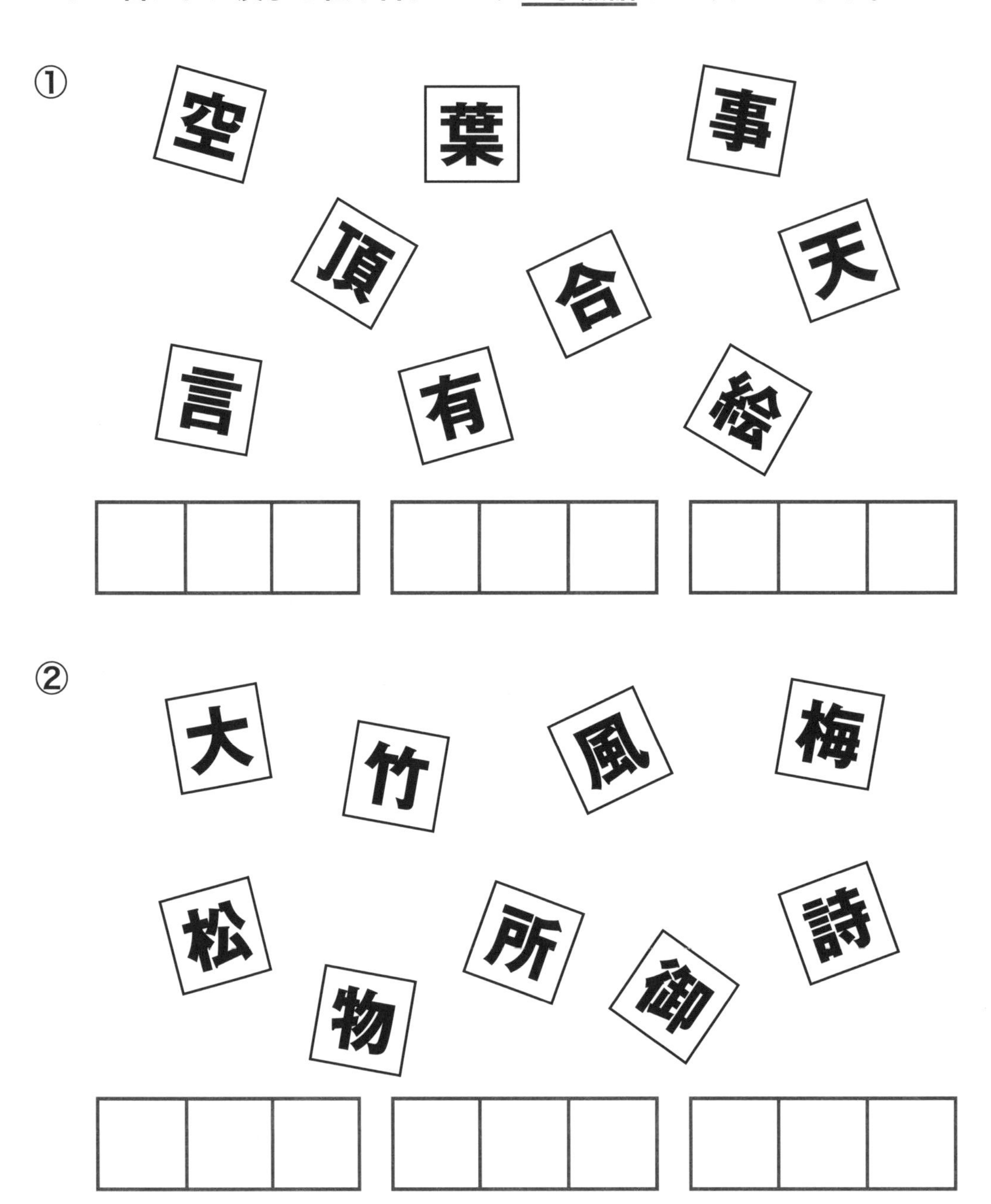

仲間はずれ探し

月　日	正答数
時間　分　秒	／2

他の絵と違うウサギとウマを１つずつ見つけましょう。

11日 頭の回転

スピード計算

月　日　正答数

時間　分　秒　／16

できるだけ速く計算をしましょう。

① $45 \div 5 =$ □

② $15 + 3 =$ □

③ $6 \times 7 =$ □

④ $16 \div 8 =$ □

⑤ $4 + 6 =$ □

⑥ $13 - 7 =$ □

⑦ $8 \times 4 =$ □

⑧ $9 - 2 =$ □

⑨ $12 \div 2 =$ □

⑩ $29 - 3 =$ □

⑪ $2 \times 2 =$ □

⑫ $6 - 1 =$ □

⑬ $5 \times 3 =$ □

⑭ $21 \div 7 =$ □

⑮ $2 + 5 =$ □

⑯ $6 \times 9 =$ □

記憶

同音異字パズル

月　日	正答数
時間　分　秒	／12

リストの字を□に入れて三字熟語のペアをつくりましょう。
各ペアは例のように、同じ読みの違う字が入ります。

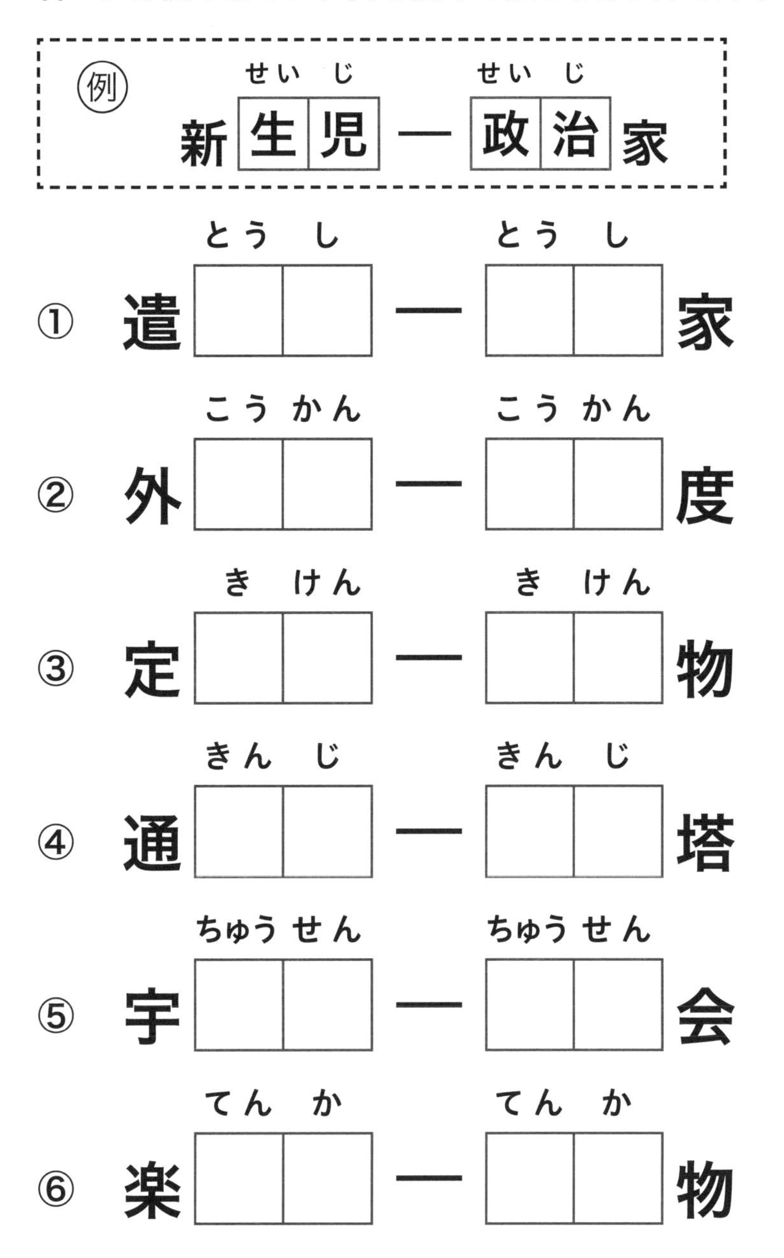

リスト

感	危	選
加	勤	唐
官	天	期
投	金	家
宙	使	抽
好	添	険
券	船	字
交	時	資

漢字絵

月　日　時間　分　秒　正答数　／6

「猪突猛進」の字を使った漢字絵です。この中に違う漢字が６つ交ざっていますので、〇で囲みましょう。

間違い　6か所

　　　　　　　　　　　　　　　　　　　突

　　　　　　　　　　猪　　　突突突突突

　　　　　　　猪猪猪猪　　　　　　　　　　　突

　　　　　　猪猪猪猪猪猪猪猪　　　　突突究突

　　　　　猪　猪猪猪猪猪猪猪猪猪

　　　猪猪猪猪猪　猪猪猪猪渚猪猪猪猪　　　猪

　　　猪猪猪猪　猪猪猪猪猪猪猪猪猪猪猪猪猪

　　　　猪猪猪遂猪猪猪猪猪猪猪猪猪猪猪猪

　　　　　　　猪猪猪猪猪猪猪猪猪猪猪猪猪猪

　　　　　　　猪　猪猪　猪猪猪猪　猪猪猪猪

　　　　　　　　猪　猪　　　　　猪猪　　猪

　　　　　　　　　　　猪　　　猪　　　猪

　　　　　　　　　　　　　　　　　進

　　　　　　　　　　　　　　　　進　進

　　　　　　　猛　　　　進進進進進推　　進進

　　　　猛猛猛猛　　　　　　　　　　　　進　進

　　　猛猛猛猛猛猛猛猛　　　　進進進進進進進

　　猛　猛猛猛猛猛猛猛猛猛

猛猛猛猛猛　猛猛猛猛猛猛猛猛猛　　　猛

猛猛猛猛　孟猛猛猛猛猛猛猛猛猛猛猛猛

　猛猛猛猛猛猛猛猛猛猛猛猛猛猛猛猛

　　　猛猛猛猛猛猛猛猛猛猛猛猫猛猛猛

　　猛　猛猛猛猛猛猛猛猛猛猛猛猛猛猛

　猛　　猛　猛猛猛猛猛猛　猛　　　猛猛

　　　猛　　　　　　　　　　猛　　　猛猛

記憶 記憶で足し算

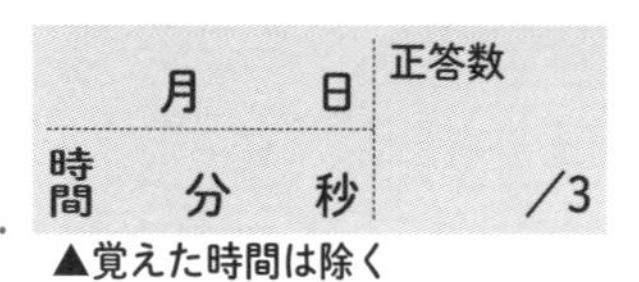

▲覚えた時間は除く

 は1  は2 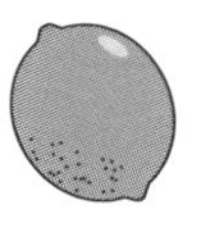 は3 を 10 ～ 20 秒で覚えましょう。

上の問題文を手か紙でかくして、下の絵で足し算をしましょう。

①

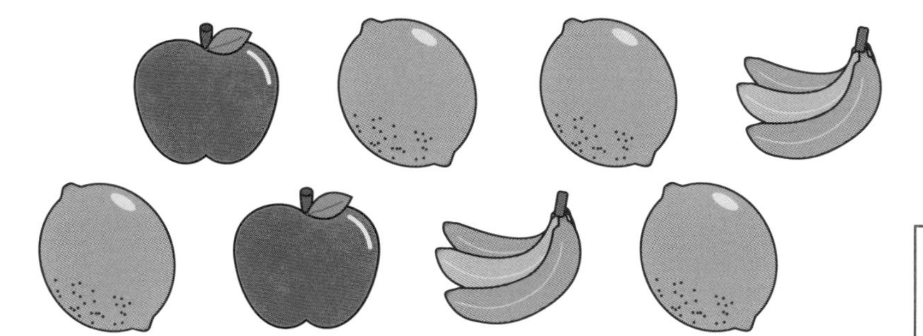

合計

②

合計

③

合計

熟語でしりとり

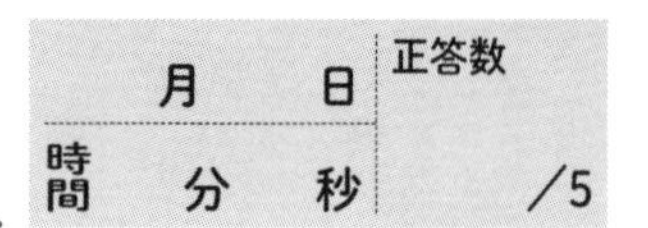

札にある熟語の読みでしりとりをします。しりとりですべての札がつながるように左から読みを書いて並べ替えましょう。

解き方は 14 ページ

①
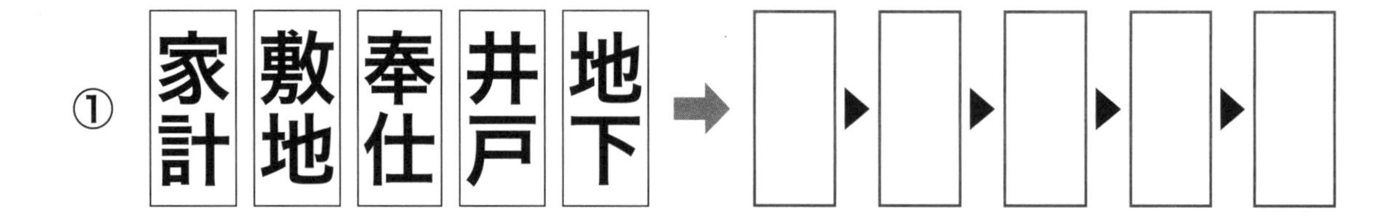

②
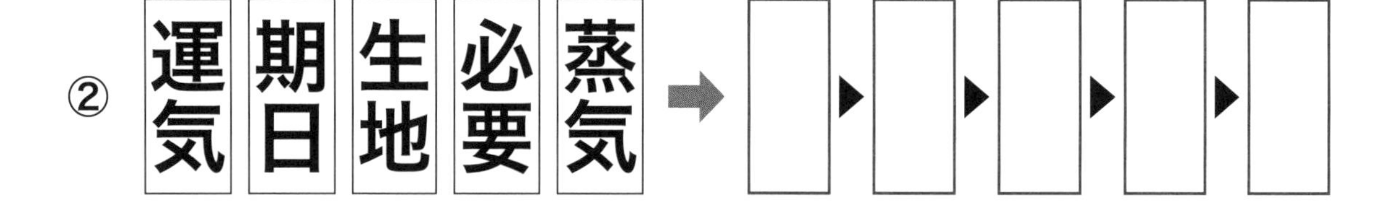

③
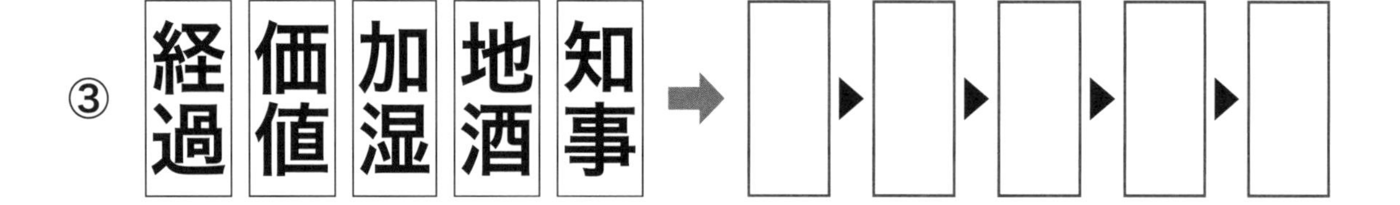

④
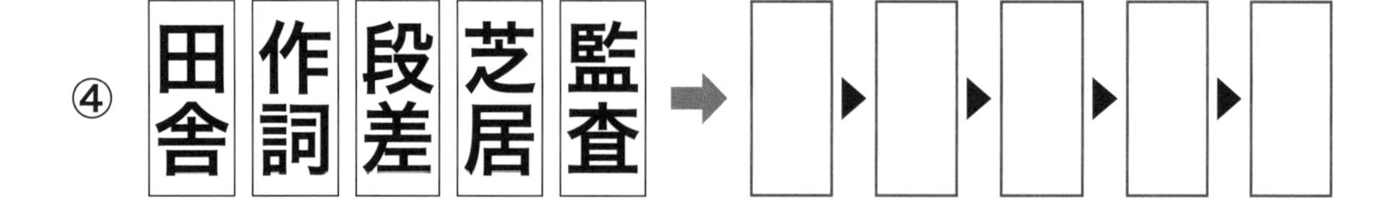

⑤ 金利　受身　学校　理解　因果

仲間はずれ探し

1つだけ他と違っている絵を探しましょう。

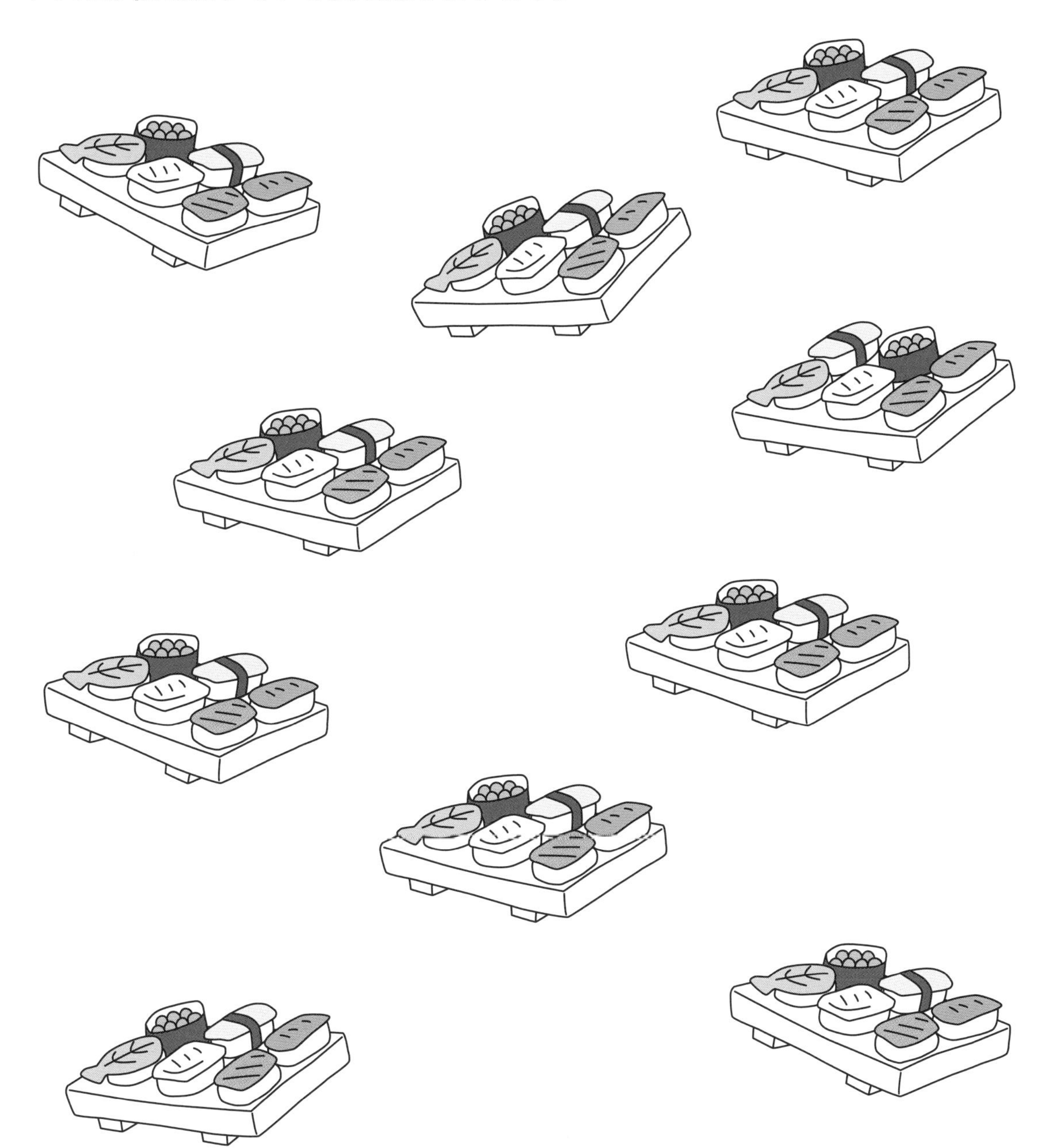

月　日　時間　分　秒　正答数　／3

２つの数を足すと１００になるペアが３組あります。答えを□に書きましょう。

〈１００のペア〉

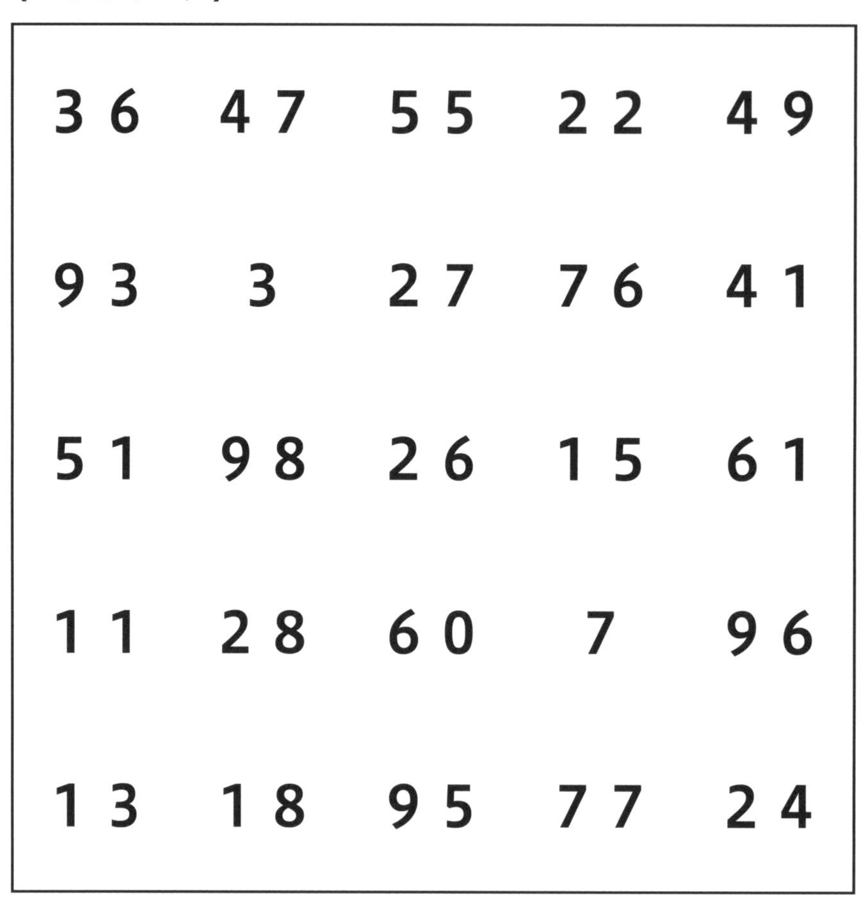

□と□　□と□　□と□

18日 注意・集中 記憶 漢字ジグソー

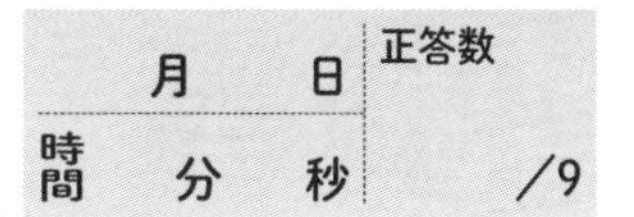

漢字のパーツを組み合わせて、漢字１字をつくりましょう。

解き方は 21 ページ

①

もとの字

②

もとの字

③

もとの字

④

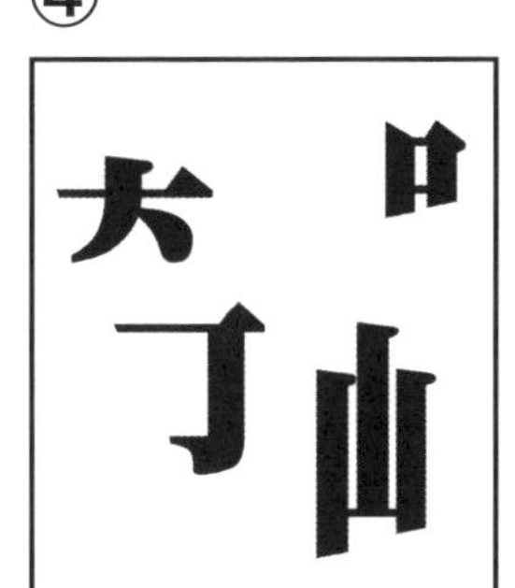

もとの字

⑤

もとの字

⑥

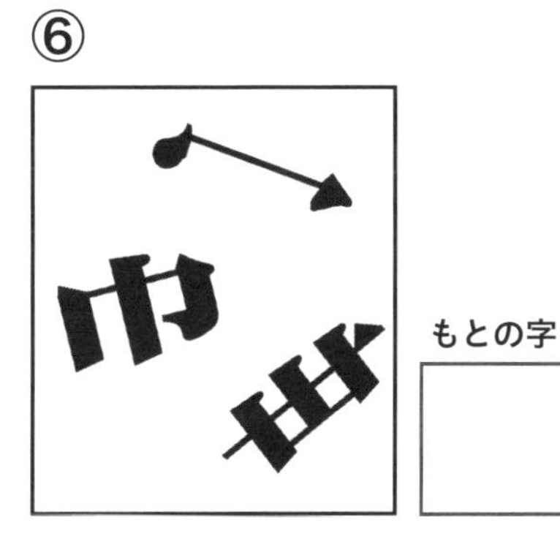

もとの字

⑦

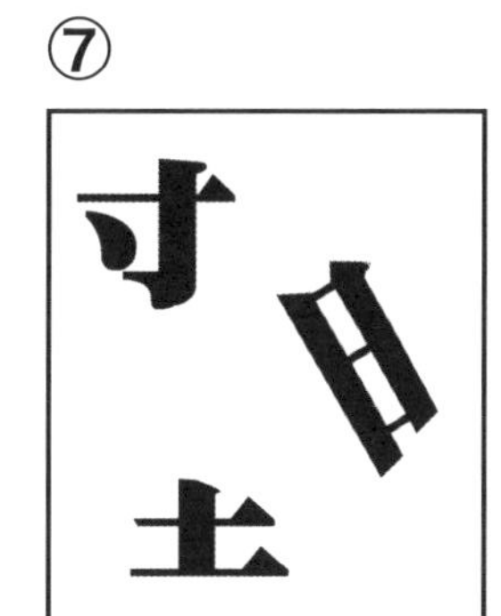

もとの字

⑧

もとの字

⑨

もとの字

記憶

観光地パズル

月　日	正答数
時間　分　秒	／14

リストの中から漢字を選んで、観光地の名前を完成させましょう。

① ほうりゅうじ　法□寺　（奈良県）

② にっこうとうしょうぐう　日光□照宮　（栃木県）

③ あかめしじゅうはちたき　□目四十八滝　（三重県）

④ あおばじょう　□葉城　（宮城県）

⑤ とっとりさきゅう　鳥取□丘　（鳥取県）

⑥ さんりくかいがん　三□海岸　（青森・岩手・宮城県）

⑦ にっぽんぶどうかん　日本□道館　（東京都）

⑧ うんぜんだけ　雲□岳　（長崎県）

⑨ いつくしまじんじゃ　嚴□神社　（広島県）

⑩ ごりょうかく　五□郭　（北海道）

⑪ つるがじょう　□ヶ城　（福島県）

⑫ にちなんかいがん　日□海岸　（宮崎県）

⑬ しょうどしま　□豆島　（香川県）

⑭ とうじんぼう　東尋□　（福井県）

リスト						
隆	鶴	仙	坊	砂	陸	島
南	小	稜	東	武	青	赤

漢字絵

月　日	正答数
時間　分　秒	／6

「貝」の字を使った漢字絵です。この中に違う漢字が６つ交ざっていますので、〇で囲みましょう。

間違い　6か所

貝

貝貝貝貝貝貝　貝　貝貝貝貝貝貝

貝貝旦貝貝　貝貝貝　貝貝貝貝貝

貝貝貝貝　貝貝貝貝貝　貝貝貝貝

貝貝貝　貝貝貝目貝貝貝　貝貝貝

貝貝　貝貝貝貝貝貝貝貝貝　貝貝

貝　貝貝貝　貝貝貝　貝貝貝　貝

貝貝貝貝　貝　貝　貝　貝貝貝貝

貝貝貝貝　貝貝　貝　貝貝　頁貝貝貝

貝貝貝貝　貝貝　貝貝貝　貝貝　貝貝貝貝

貝貝貝貝　貝貝貝　貝　貝　貝貝貝　貝貝貝貝

貝貝貝　貝貝貝　貝貝　貝貝　貝貝貝　貝貝貝

貝具貝　貝貝貝貝　貝貝　貝貝　貝貝貝貝　貝貝貝

貝貝　貝貝貝貝　貝貝貝　貝貝貝　貝貝貝貝　貝貝

貝貝　貝貝貝貝　貝貝貝　貝貝貝　貝貝貝貝　貢貝

貝　貝貝貝貝　貝貝貝貝　貝貝貝貝　貝貝貝貝　貝

貝貝貝貝貝貝　貝貝貝貝　貝貝貝貝　貝貝貝貝貝貝

貝貝貝貝　貝貝貝貝貝　貝貝貝貝貝　貝貝貝

貝貝貝貝　貝貝貝貝貝　貝貝貝貝貝　貝貝貝

貝貝　貝貝貝貝貝　貝貝貝貝貝　貝貝

貝貝貝貝貝貝貝貝　貝貝貝貝貝貝貝貝

貝貝貝貝貝貝　貝貝貝貝貝貝

貝貝貝貝貝貝　貝貝貝貝貝貝

貝貝貝貝　真貝貝貝

貝貝貝

頭の回転　記憶

記憶で足し算

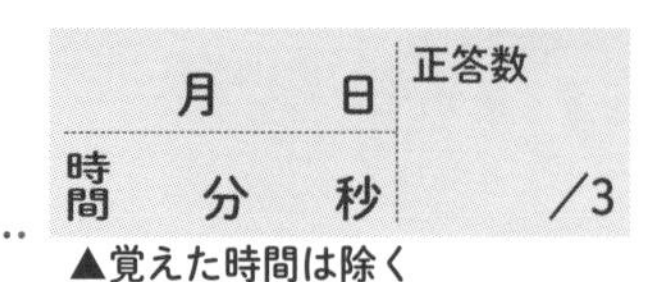

▲覚えた時間は除く

 は3　 は2　 は1　を 10 ～ 20 秒で覚えましょう。

上の問題文を手か紙でかくして、下の絵で足し算をしましょう。

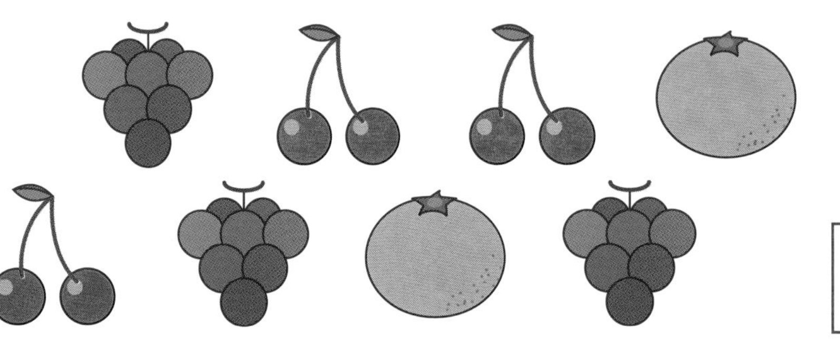

合計

②

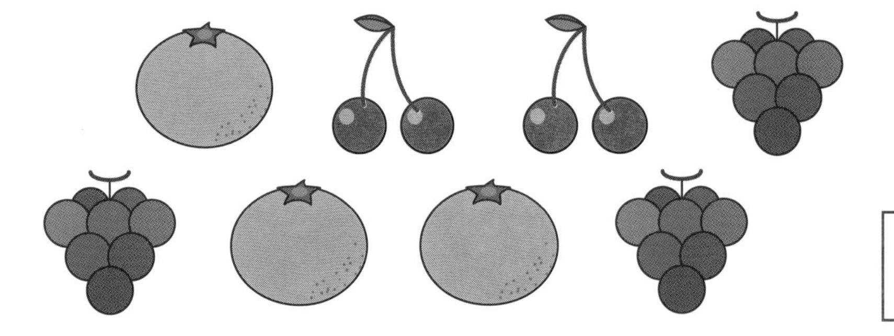

合計

③

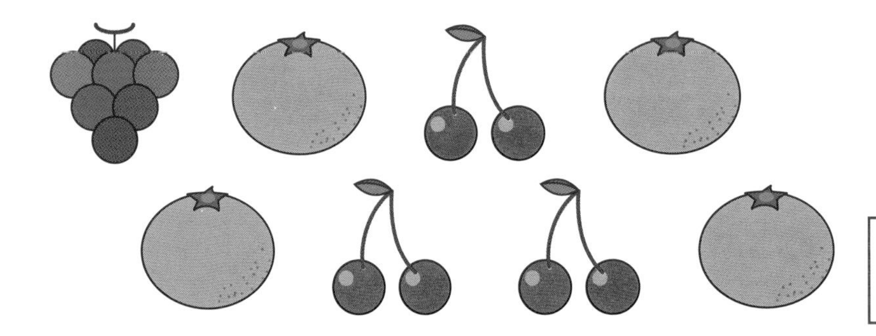

合計

仲間はずれ探し

月　日	正答数
時間　分　秒	／2

他の絵と違うシマウマとキリンを１つずつ見つけましょう。

月 日	正答数
時間 分 秒	／3

２つの数を足すと１００になるペアが３組あります。答えを□に書きましょう。

〈１００のペア〉

1	78	18	95	37
80	4	7	72	85
55	41	25	90	45
12	44	14	82	33
62	43	97	16	59

□ と □　　□ と □　　□ と □

記憶

同音異字パズル

月　日	正答数
時間　分　秒	／14

リストの字を□に入れて三字熟語のペアをつくりましょう。

解き方は25ページ

① 世□□（けん てい）―□□料（けん てい）

② 誕□□（じょう び）―□□薬（じょう び）

③ 二□□（とう りゅう）―□□門（とう りゅう）

④ 武□□（し どう）―□□者（し どう）

⑤ 洗□□（じょう き）―□□船（じょう き）

⑥ 地□□（か しつ）―□□器（か しつ）

⑦ 探□□（きゅう しん）―□□日（きゅう しん）

リスト

刀	指	定
下	究	気
備	室	登
道	休	間
心	導	検
生	流	士
機	蒸	湿
日	常	竜
浄	診	体
加		

25日 頭の回転 スピード計算

月	日	正答数
時間 分	秒	／16

できるだけ速く計算をしましょう。

① $15 \div 5 =$ □

② $13 + 2 =$ □

③ $5 \times 2 =$ □

④ $42 \div 6 =$ □

⑤ $18 + 7 =$ □

⑥ $26 - 8 =$ □

⑦ $6 \times 3 =$ □

⑧ $9 - 5 =$ □

⑨ $3 + 6 =$ □

⑩ $10 - 7 =$ □

⑪ $3 \times 2 =$ □

⑫ $13 - 4 =$ □

⑬ $4 \times 7 =$ □

⑭ $8 \div 2 =$ □

⑮ $2 + 1 =$ □

⑯ $8 \times 8 =$ □

注意・集中

漢字絵

月　日　正答数

時間　分　秒　／6

「星」の字を使った漢字絵です。この中に違う漢字が６つ交ざっていますので、〇で囲みましょう。

間違い　6か所

星星星星星星星星星　星星星星星星星星星星星星星星星星星
星星星星星星星星星　　星星里星星星星星星星星星星星星星
星星星星星星星星星　　星星星星星星星星星星星星星星星星
星星星星星星星星　　　　星星星星星星星星星星星星星星星
星星星星星星星星　　　　星星星星星星星星星星星星星星星
星星星星星星星　　　　　　星星星星星星星星星星星星星星
　　　　　　　　　　　　　　　　　　　　星星星星星星星
星　　　　　　　　　　　　　　　　　　星星星星星星星星
星星　　　　　　　　　　　　　　　　星星星星星星星星星
星星早星　　　　　　　　　　　　星星星星星星星星星星星
星星星星星　　　　　　　　　　星星星星星星星星星星星星
星星星星星星　　　　　　　　　星星星星星星星星星星星星
星星星星星　　　　　　　　　　星星星星星星星星星星星星
星星星星星　　　　　　　　　　星星星星星星星星星星星星
星星星星星　　　　　星　　　　星星星星星星星星星星星星
星星星星星　　　星星星星　　　星星星星黒星星星星星星星
星星星星　　　星星星星星星　　星星星星星星星　星星星星
星星星星　　星星星昴星星星星　星星星星星星星　　星星星
星星星星　星星星星星星星星星星星星星星星星　　　星星星
星星星星星星星星星星星星星星星星星星
星星昌星星星星星星星星星星星星星星星星　　　　　　　星
星星星星星星星星星星星星星星星星星星星星　　　　　星星
星星星星星星星星星星星是星星星星星星星星　　星　　星星
星星星星星星星星星星星星星星星星星星星星　星星星　星星
星星星星星星星星星星星星星星星星星星星星星星星星星星星
星星星星星星星星星星星星星星星星星星星星星星星星星星星

しりとり計算

月	日	正答数
時間 分	秒	／15

スタートからゴールまで、答えを□に書いて計算しましょう。

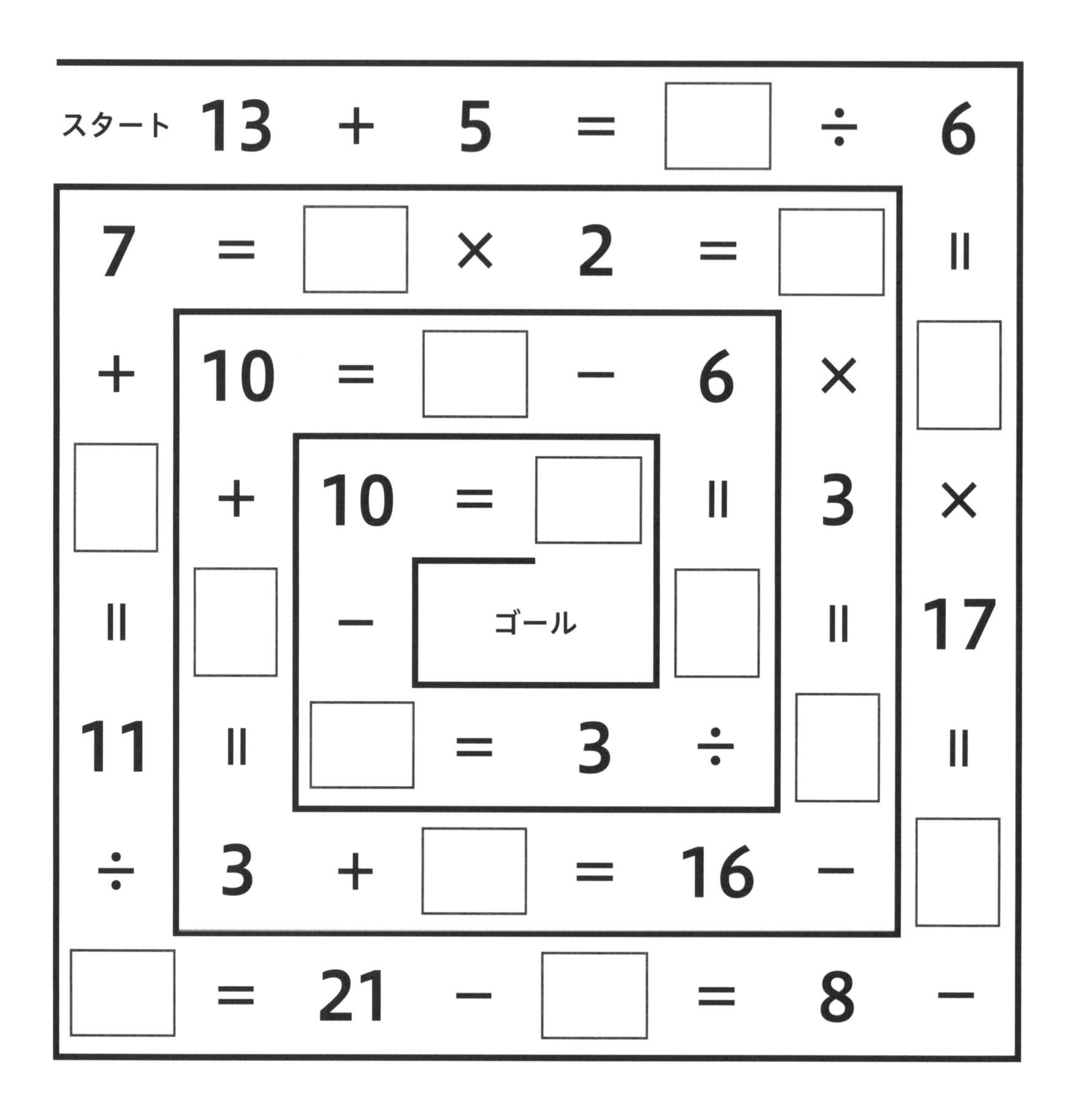

28日 記憶 注意・集中 二字熟語パズル

月 日	正答数
時間 分 秒	／4

二字熟語が３つに分かれています。もとの二字熟語を答えましょう。

①

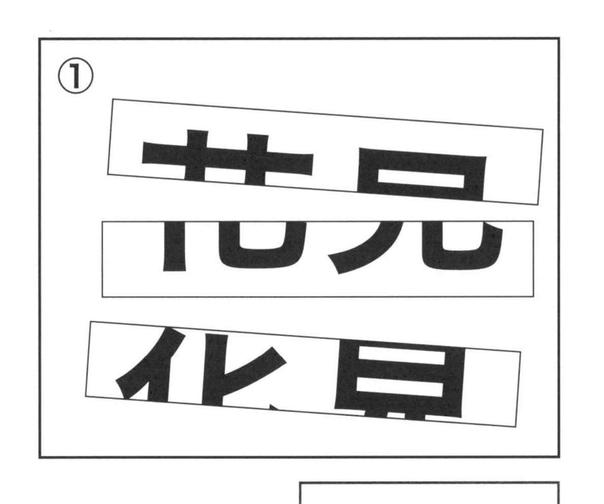

②

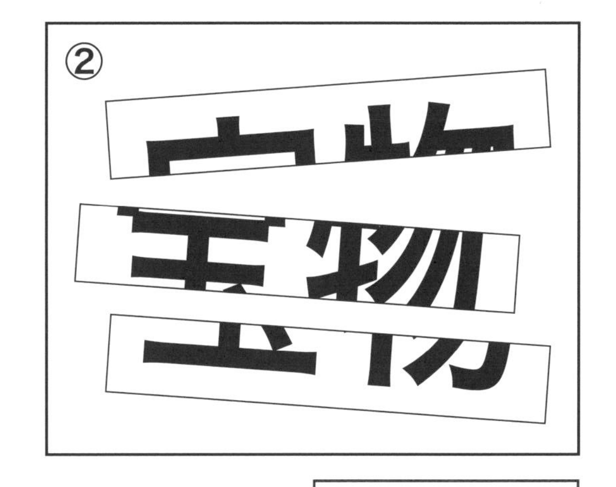

③

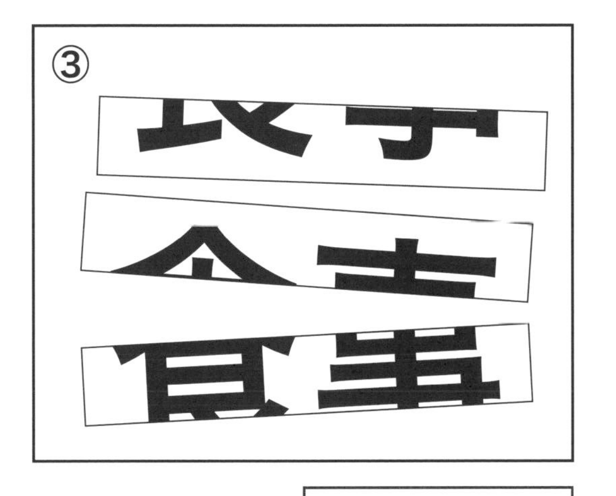

④

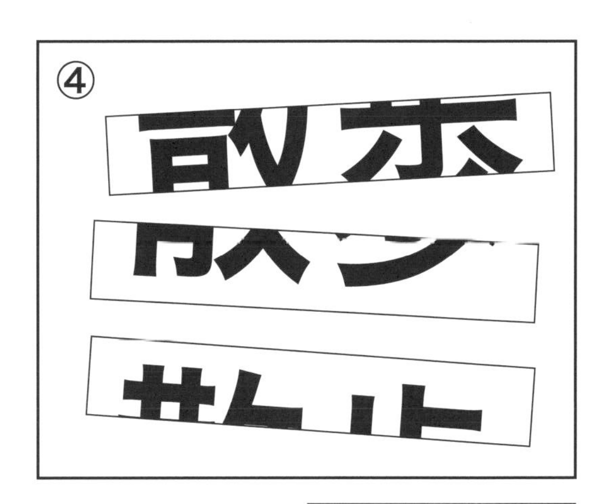

記憶 記憶で足し算

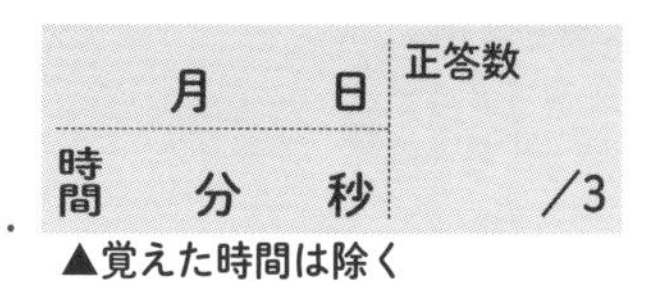

▲覚えた時間は除く

 は1　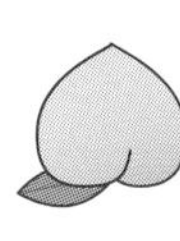 は3　 は5　を10～20秒で覚えましょう。

上の問題文を手か紙でかくして、下の絵で足し算をしましょう。

合計

②

合計

③

合計

仲間はずれ探し

月　日	正答数
時間　分　秒	／1

1つだけ他と違っている絵を探しましょう。

月 日	正しいマスの数
時間 分 秒	／16 ／20

計算の答えが下のようになるマスをぬり、最後に現れる文字を答えましょう。正しいマスがぬれていれば正解です。

① 答えが3か4か7になるマスを鉛筆でぬりましょう。

6 − 5	7 + 2	8 − 8	1 + 1	5 − 4	9 + 1	3 + 3	2 + 6	5 + 5	5 − 1	4 + 2	1 + 4	5 − 3
4 + 4	3 − 1	2 + 1	7 + 9	5 + 2	6 − 1	5 + 4	9 − 1	3 + 7	7 − 4	8 − 3	6 + 4	9 + 2
9 + 9	6 + 6	6 − 3	7 − 7	4 − 1	1 + 5	8 − 6	7 − 6	2 + 3	3 + 4	3 + 5	5 − 5	3 + 0
7 − 5	1 + 3	8 + 9	9 − 3	3 + 2	2 + 2	4 − 2	5 + 6	3 + 6	8 − 5	2 − 2	4 + 3	9 + 5
9 − 2	3 − 3	2 + 8	9 − 8	5 + 0	6 − 6	6 + 1	2 + 9	8 − 7	9 − 6	8 − 4	9 + 3	1 + 7

② 答えが3か6か9になるマスを鉛筆でぬりましょう。

3 + 4	8 − 6	2 + 3	8 − 3	3 + 9	6 − 4	7 + 7	8 + 2	8 − 3	4 + 3	4 − 3	7 − 5	1 + 8
9 − 7	3 + 3	7 − 4	2 + 1	4 + 5	1 − 1	9 + 1	9 − 1	7 + 4	1 + 2	3 − 3	4 + 2	9 + 7
5 + 8	6 − 2	6 + 6	8 − 1	1 + 5	2 + 5	5 − 5	4 + 8	8 − 4	9 + 5	5 + 1	8 + 6	5 − 4
5 + 5	9 − 4	3 − 1	6 + 7	7 − 1	8 + 9	9 − 5	7 + 9	2 − 2	8 − 5	6 + 1	3 + 6	7 − 7
6 + 3	6 − 3	7 + 2	9 − 6	2 + 7	5 − 2	5 + 4	2 + 6	9 − 3	6 − 6	1 + 6	9 + 9	8 − 8

月　日	正答数
時間　分　秒	／9

漢字のパーツを組み合わせて、漢字１字をつくりましょう。

解き方は 21 ページ

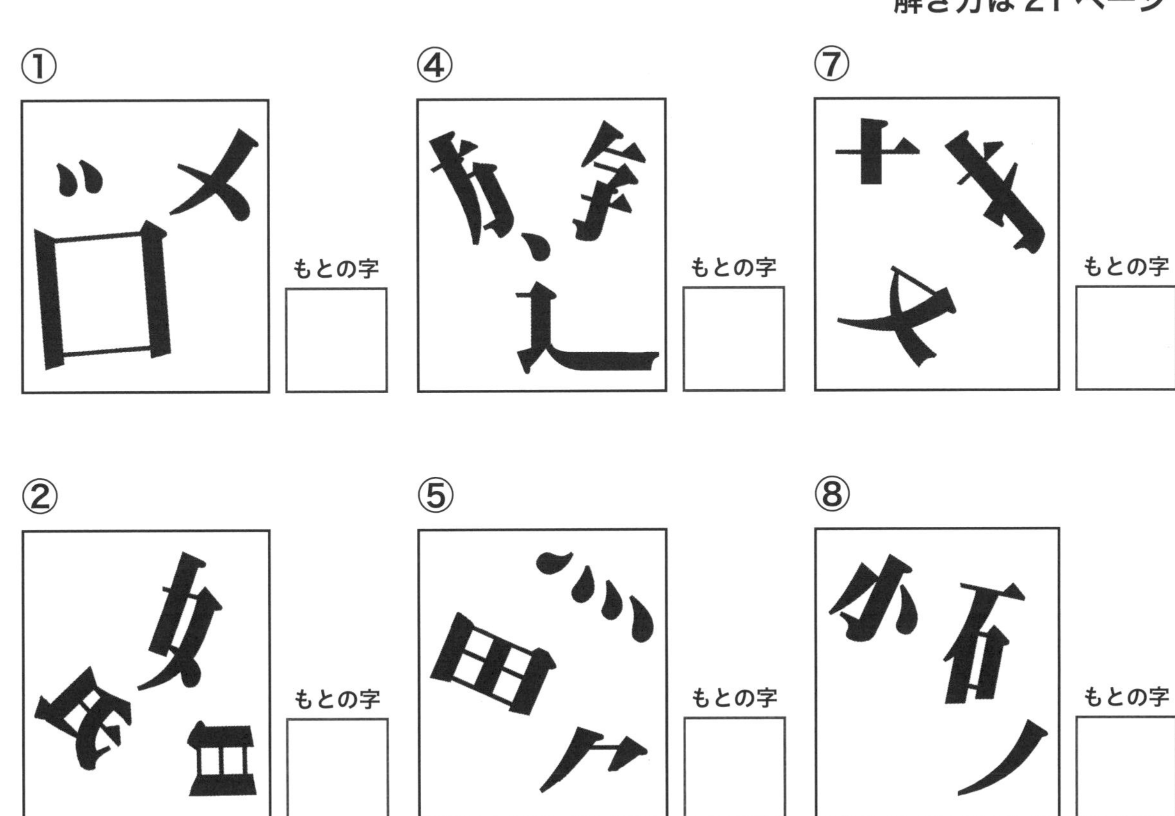

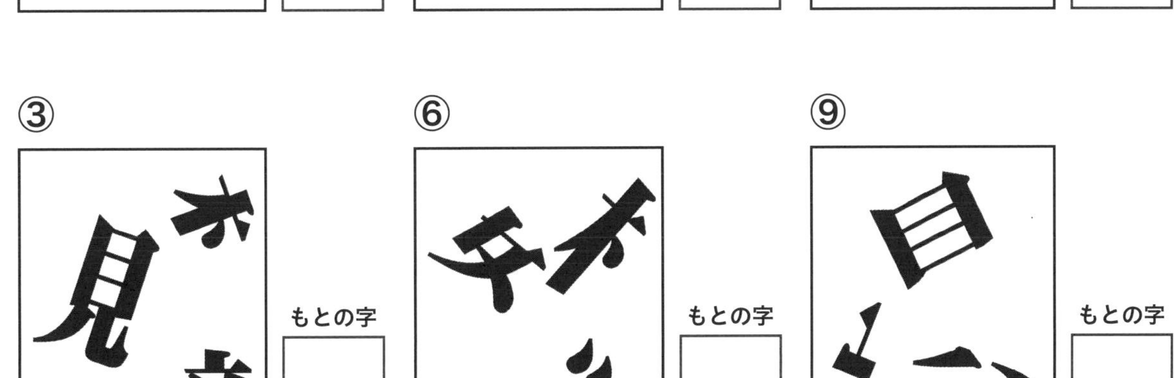

33日 頭の回転 記憶 記憶で足し算

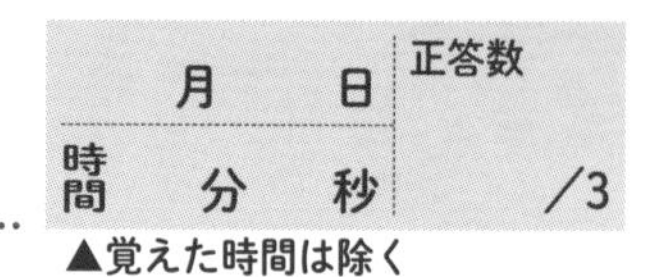

▲覚えた時間は除く

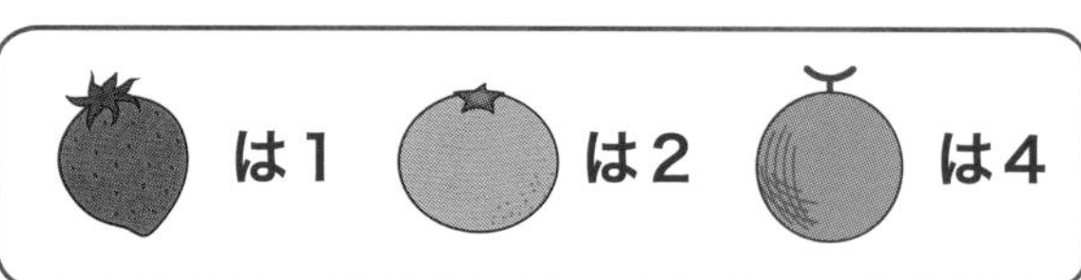

を 10 ～ 20 秒で覚えましょう。

上の問題文を手か紙でかくして、下の絵で足し算をしましょう。

①

合計

②

合計

③

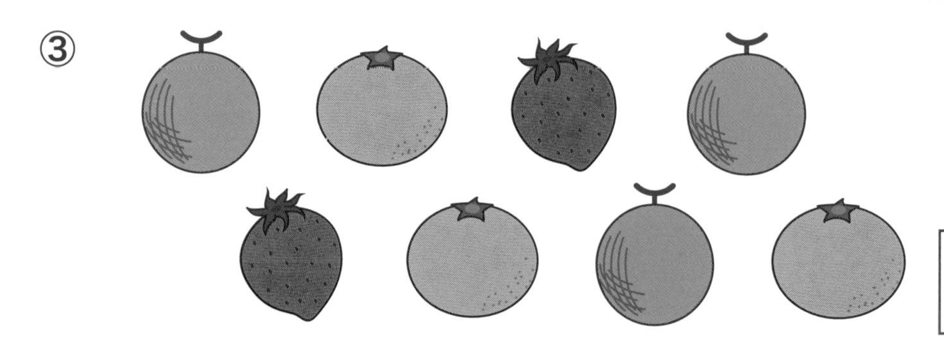

合計

熟語カード

月	日	正答数
時間 分	秒	／4

カードに書かれた漢字を組み合わせて、四字熟語をつくりましょう。

①

光　仏　火　神　社　電　石　閣

②

千　笑　言　万　止　用　他　無

35日 頭の回転 スピード計算

月 日	正答数
時間 分 秒	／16

できるだけ速く計算をしましょう。

① $54 \div 6 =$ □

② $8 + 2 =$ □

③ $4 \times 3 =$ □

④ $24 \div 3 =$ □

⑤ $11 + 8 =$ □

⑥ $16 - 5 =$ □

⑦ $5 \times 1 =$ □

⑧ $26 - 6 =$ □

⑨ $15 + 5 =$ □

⑩ $9 - 4 =$ □

⑪ $7 \times 6 =$ □

⑫ $3 - 2 =$ □

⑬ $6 \times 4 =$ □

⑭ $4 \div 1 =$ □

⑮ $10 + 6 =$ □

⑯ $7 \times 5 =$ □

漢字絵

月　日　正答数
時間　分　秒　/7

「喜怒哀楽」の字を使った漢字絵です。この中に違う漢字が７つ交ざっていますので、〇で囲みましょう。

間違い　7か所

喜喜喜喜喜喜喜喜喜喜喜喜喜喜怒怒怒怒怒怒怒怒怒怒怒怒怒
喜喜喜喜　　　　　　喜喜喜喜怒愁怒怒　　　　　　怒怒怒
喜喜喜　　　　　　　　喜喜喜怒怒怒　　　　　　　　怒怒
喜喜　　　　　　　　　　喜喜怒怒　　　　　　　　　　怒
喜　　　喜善　　喜喜　　　喜怒　　怒怒　　　　怒怒
喜　　喜　喜　　喜　喜　　喜怒　　怒　怒　　怒　怒
喜　　　　　　　　　　　　喜怒　　　怒　　　　怒
喜　　喜　　　　　　喜　　喜怒　　　　　怒怒
喜　　　喜　　　　喜　　　喜怒　　　　怒　　怒
喜喜　　　喜喜喜喜　　　喜喜怒怒　　努　　　　怒　　怒
喜喜喜　　　　　　　　喜喜喜怒怒怒　　　　　　　　怒怒
喜喜喜喜　　　　　　養喜喜喜怒怒怒怒　　　　　　怒怒怒
喜喜喜喜喜喜喜喜喜喜喜喜喜喜怒怒怒怒怒怒怒怒怒怒怒怒怒

　　　　哀哀哀哀哀哀哀　　　　　　　楽楽楽楽楽楽
　　　哀　　　　　　　哀　　　　　楽　　　　　　楽
　　哀　　　　　　　　　哀　　　楽　　　　　　　　楽
　哀　　　　　　　　　　　衰　楽　　楽楽　　薬楽　　楽
　哀　　哀哀哀　哀哀哀　　哀　楽　楽楽楽　　楽楽楽　楽
　哀　　　哀　　　哀　　　哀　楽　　　　　　　　　　楽
　哀　　　哀　　　哀　　　哀　楽　　　楽楽楽楽　　　楽
　哀　　　哀　　　哀　　　哀　楽　　楽　　　　楽　　楽
　哀　　　哀　　　哀　　　哀　楽　　　楽楽楽楽　　　楽
　　裏　　　　　　　　　哀　　　楽　　　　　　　　楽
　　　哀　　　　　　　哀　　　　　楽　　　　　　楽
　　　　哀哀哀哀哀哀哀　　　　　　　楽楽楽楽楽楽

頭の回転

しりとり計算

月	日	正答数
時間 分	秒	／15

スタートからゴールまで、答えを□に書いて計算しましょう。

スタート	10	÷	2	=	□	+	3
9	=	□	−	15	=	□	‖
×	1	=	□	−	13	÷	□
□	+	4	=	□	‖	7	×
‖	□	+	ゴール		□	‖	6
10	‖	□	=	5	×	□	‖
÷	14	−	□	=	11	×	□
□	=	8	+	□	=	16	−

熟語でしりとり

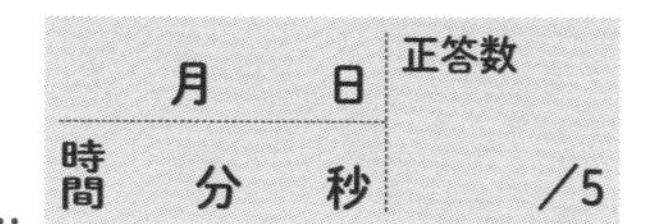

札にある熟語の読みでしりとりをします。しりとりですべての札がつながるように左から読みを書いて並べ替えましょう。 解き方は 14 ページ

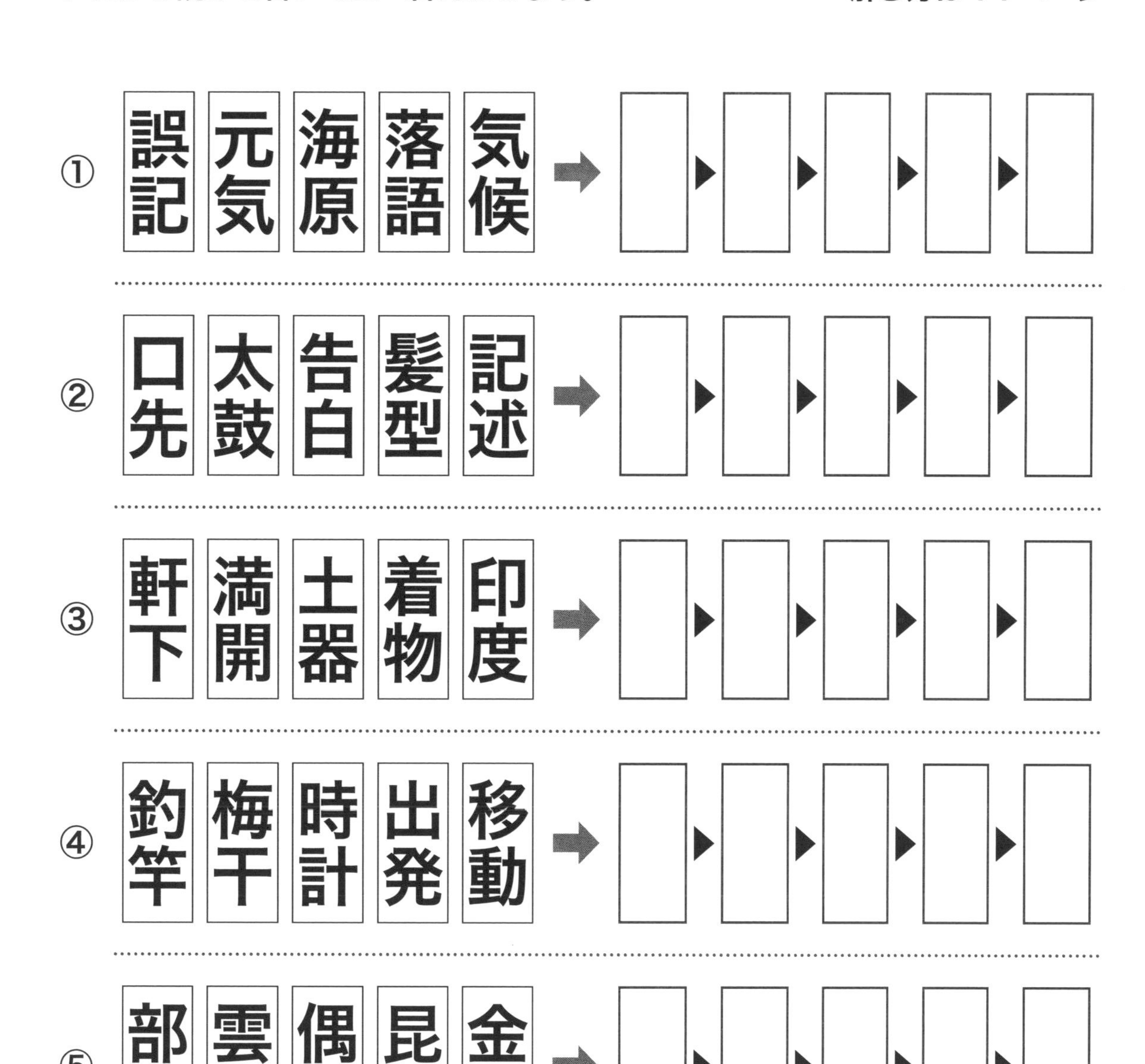

たてよこマス計算

です。

たて列、よこ列のそれぞれの合計を答えましょう。

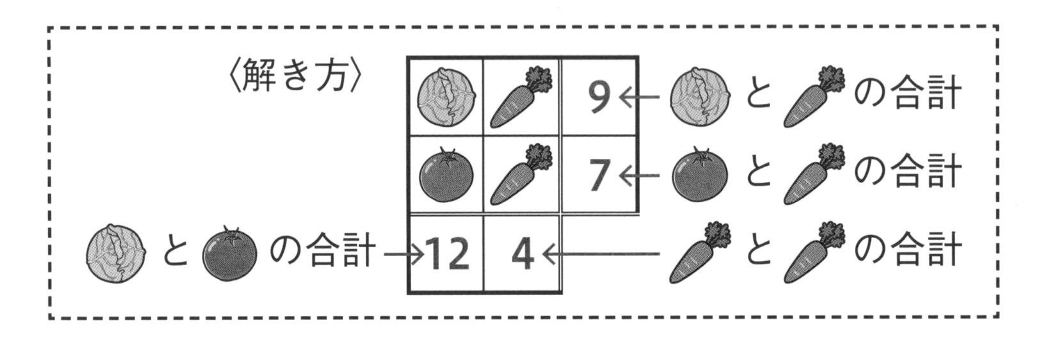

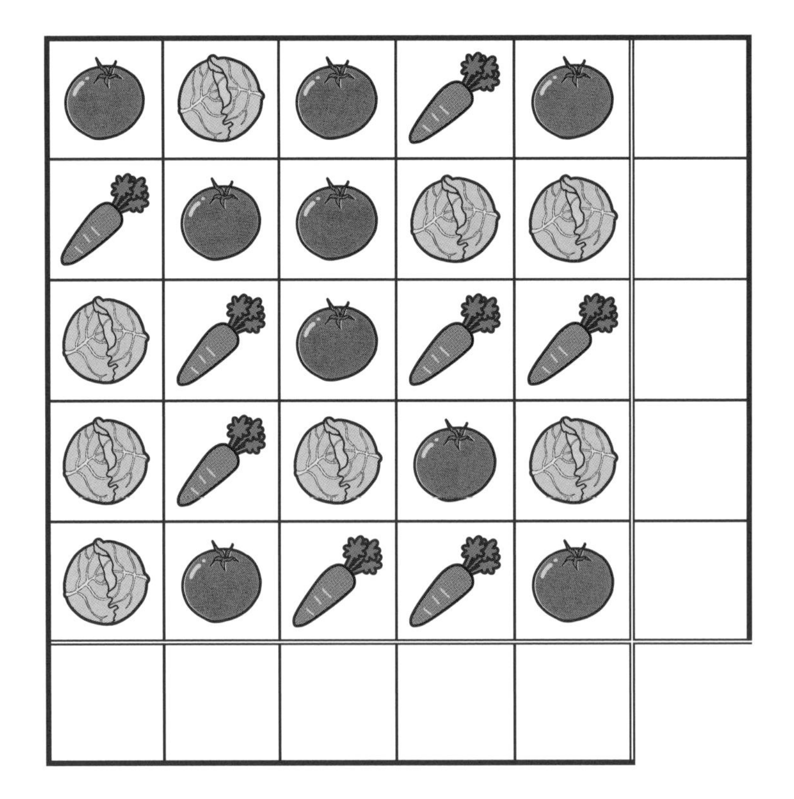

仲間はずれ探し

月	日	正答数
時間 分	秒	／2

他の絵と違うニワトリとイヌを１つずつ見つけましょう。

41日 頭の回転 記憶 記憶で足し算

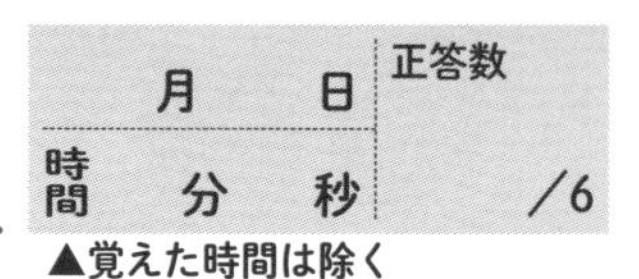

月 日	正答数
時間 分 秒	／6

▲覚えた時間は除く

 は3  は2 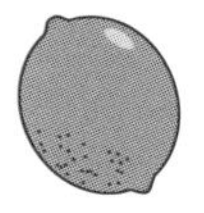 は1 を10～20秒で覚えましょう。

上の問題文を手か紙でかくして、足した数を答えましょう。

①    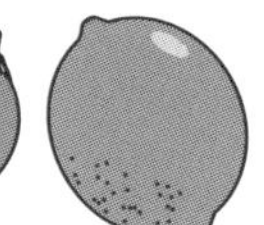    ＝ 合計

② 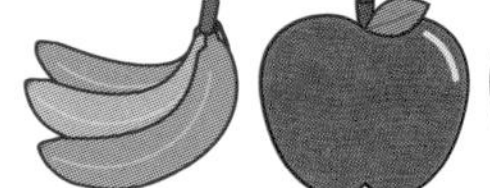  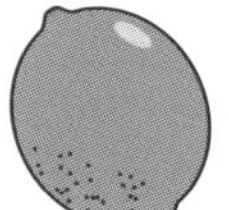   ＝ 合計

③ 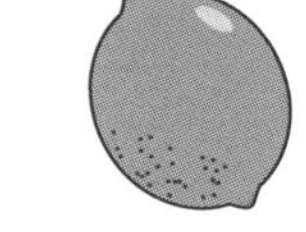  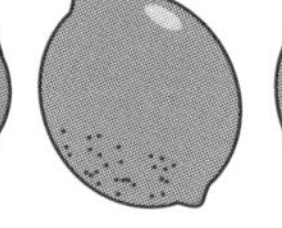 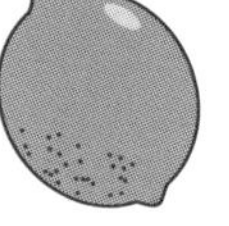 ＝ 合計

④  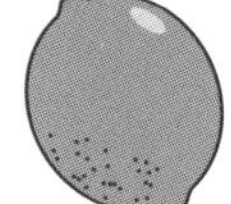  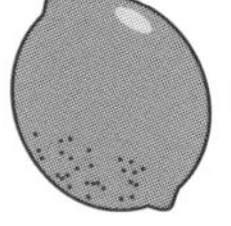   ＝ 合計

⑤  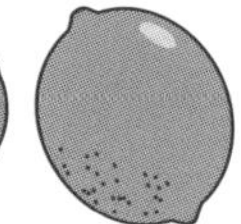  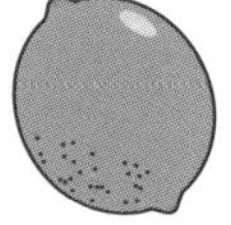  ＝ 合計

⑥   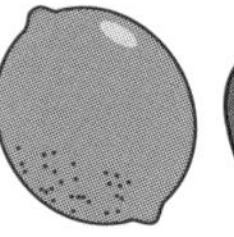  ＝ 合計

42日 注意集中 記憶 漢字ジグソー

月　日	正答数
時間　分　秒	／9

漢字のパーツを組み合わせて、漢字１字をつくりましょう。

解き方は 21 ページ

①

もとの字

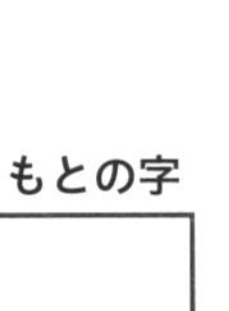

②

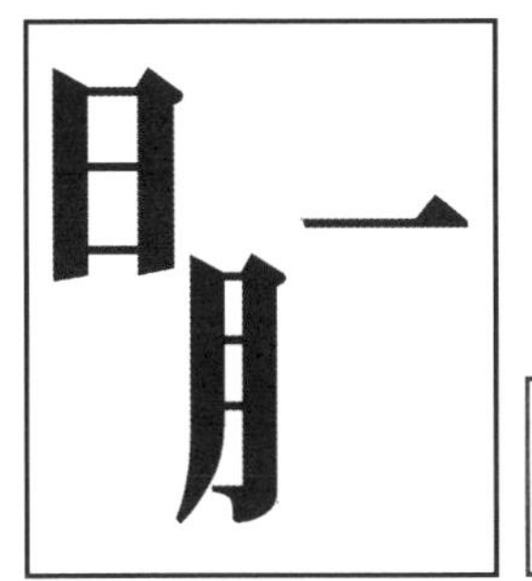

もとの字

③

もとの字

④

もとの字

⑤

もとの字

⑥

もとの字

⑦

もとの字

⑧

もとの字

⑨

もとの字

記憶

観光地パズル

月　日	正答数
時間　分　秒	／14

リストの中から漢字を選んで、観光地の名前を完成させましょう。

① よこはまちゅう か がい
横浜中□街（神奈川県）

② ゆ ざわ おんせん
湯□温泉（新潟県）

③ あ そ さん
□蘇山（熊本県）

④ けん ろく えん
兼□園（石川県）

⑤ し まん と がわ
四万□川（高知県）

⑥ ろっ こう さん
六□山（兵庫県）

⑦ どう ご おんせん
道□温泉（愛媛県）

⑧ あつ た じんぐう
□田神宮（愛知県）

⑨ しら かみ さん ち
白□山地（青森・秋田県）

⑩ や く しま
□久島（鹿児島県）

⑪ やつ が たけ
八ヶ□（長野・山梨県）

⑫ えんりゃく じ
延□寺（滋賀県）

⑬ こう らく えん
後□園（岡山県）

⑭ しら いと たき
□糸の滝（静岡県）

リスト						
後	屋	神	楽	六	熱	暦
白	阿	甲	岳	十	沢	華

月　日　正答数

時間　分　秒　／3

２つの数を足すと１００になるペアが３組あります。答えを□に書きましょう。

〈１００のペア〉

10	92	22	63	20	35
36	55	54	90	4	66
74	60	2	49	88	87
31	86	48	95	47	7
17	84	23	56	24	68
42	5	34	97	99	11

□と□　□と□　□と□

仲間はずれ探し

月　日	正答数
時間　分　秒	／1

1つだけ他と違っている絵を探しましょう。

同音異字パズル

月	日	正答数
時間 分	秒	／14

リストの字を□に入れて三字熟語のペアをつくりましょう。

解き方は 25 ページ

		よみ			よみ	
①	人	きもの □□	―	きもの □□	姿
②	危	きかん □□	―	きかん □□	誌
③	等	しんだい □□	―	しんだい □□	車
④	評	かがく □□	―	かがく □□	者
⑤	同	こうかい □□	―	こうかい □□	士
⑥	先	しんこく □□	―	しんこく □□	化
⑦	除	こうえき □□	―	こうえき □□	品

リスト

価	会	易
機	進	交
気	感	光
着	季	額
海	液	寝
学	国	大
刊	深	好
科	者	航
刻	物	身
台		

月	日	正しいマスの数
時間 分	秒	／22　／30

計算の答えが下のようになるマスをぬり、最後に現れる文字を答えましょう。正しいマスがぬれていれば正解です。

① 答えが7か8か9になるマスを鉛筆でぬりましょう。

6−4	9+3	8−4	7−1	1+1	7+5	9−6	5+7	8−1	9+6	4−2	7−6	2+2
5−1	3+6	2+9	7−3	9−9	1+4	7+1	9−2	8+7	1+8	5+3	8+1	2+6
6+1	9−4	3+4	6+6	5−3	7+2	1−1	4+4	8−6	1+6	3−1	4+9	9−1
3+1	5−5	4+1	2+7	6−1	4+7	2−1	6+3	8+4	6+9	2−2	9−7	1+7
2+3	3+8	7+8	3−3	5+4	8−2	9+8	3+5	7−4	9+1	6+2	2+5	5+2

② 答えが2か4か8になるマスを鉛筆でぬりましょう。

9−7	8+1	4+9	5−3	7+7	3−3	1+7	9+5	2−1	1+9	10−2	5+7	7+1
1+1	4+2	4+4	8−1	9+8	9−5	2+6	7−5	9−1	9+1	5−1	6+7	8−0
6−4	2+2	4−1	1+5	8−5	9+3	8−6	5−4	8+0	8+8	4−0	5+6	15−7
6+2	9−3	2+7	7−1	6+3	3+5	3−2	7+4	2−0	8+4	4+5	7−2	2+0
7−3	1+3	8−4	5+3	4+3	5−2	3+7	6−2	4+0	9−6	8−2	3+1	6−5

48日 記憶 注意集中 二字熟語パズル

月	日	正答数
時間 分	秒	／4

二字熟語が３つに分かれています。もとの二字熟語を答えましょう。

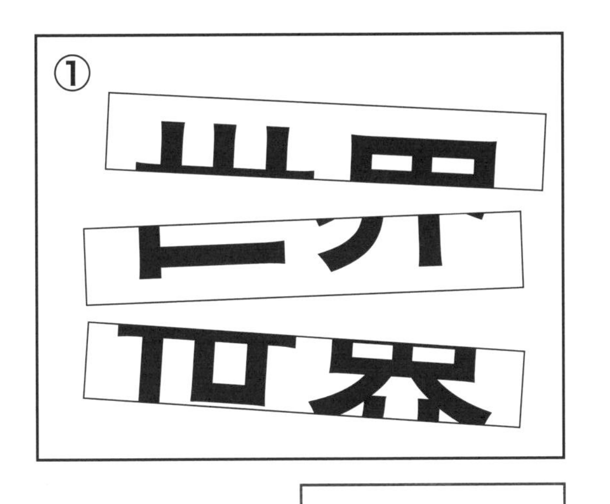

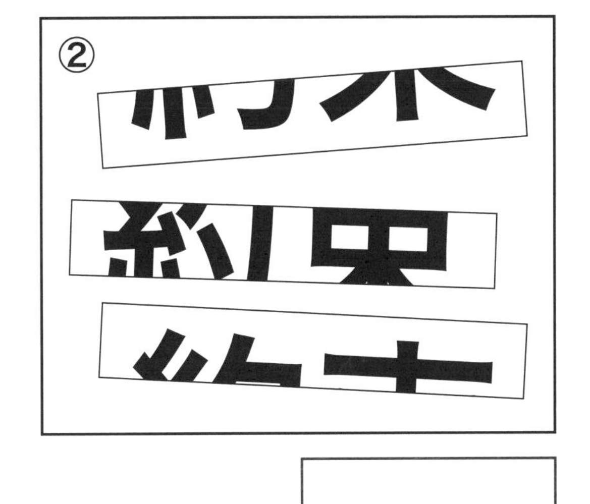

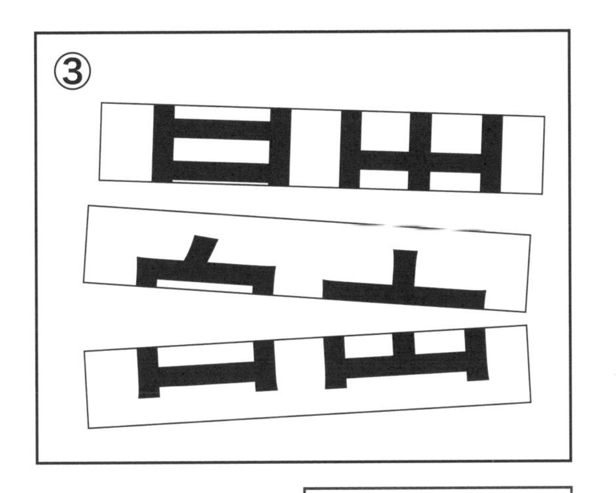

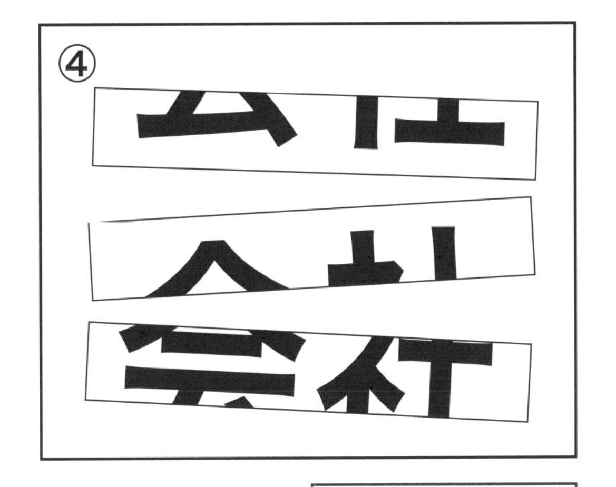

49日 頭の回転 記憶 記憶で足し算

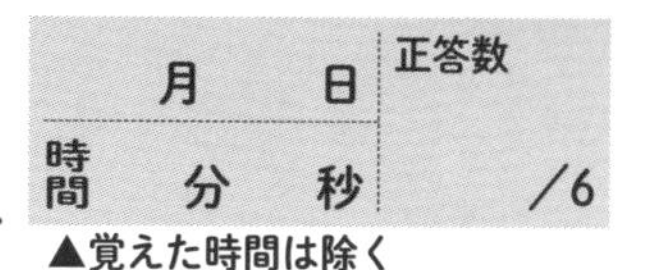

月　日	正答数
時間　分　秒	／6

▲覚えた時間は除く

 は4  は3  は2 を10～20秒で覚えましょう。

上の問題文を手か紙でかくして、足した数を答えましょう。

①   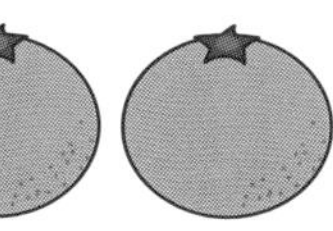 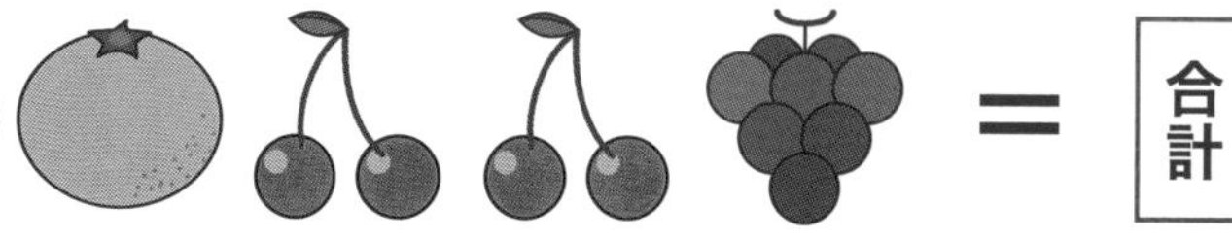 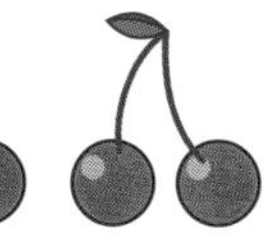  ＝  合計

② 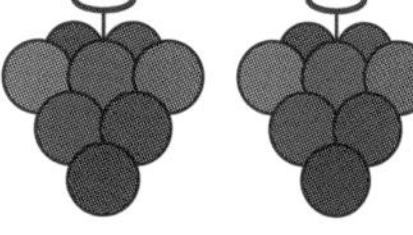  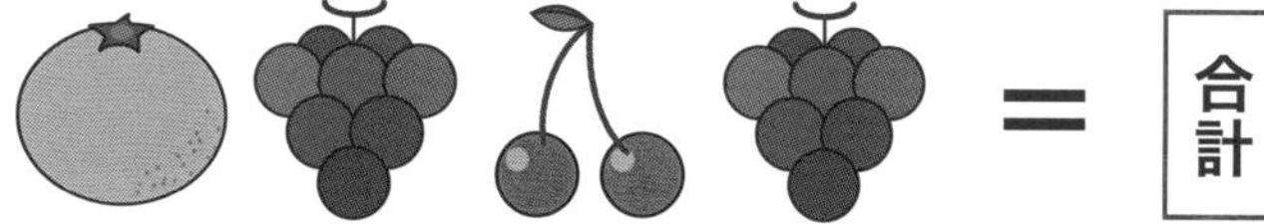   ＝ 合計

③     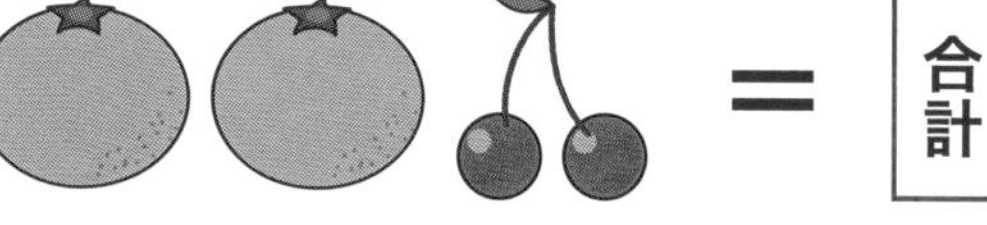  ＝ 合計

④  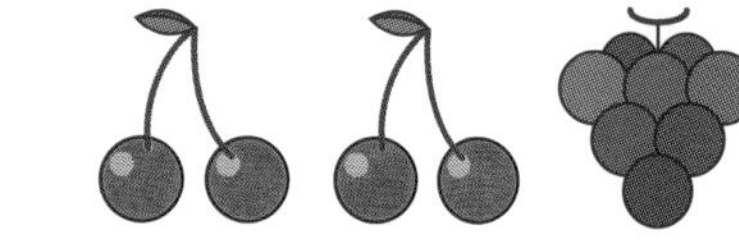 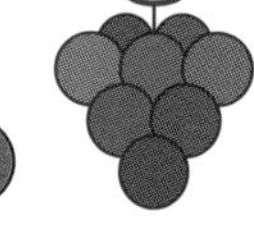    ＝ 合計

⑤  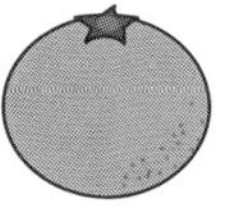   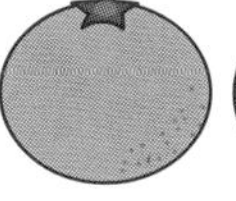 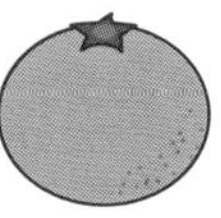 ＝ 合計

⑥       ＝ 合計

月　日	正答数
時間　分　秒	／6

カードに書かれた漢字を組み合わせて、三字熟語をつくりましょう。

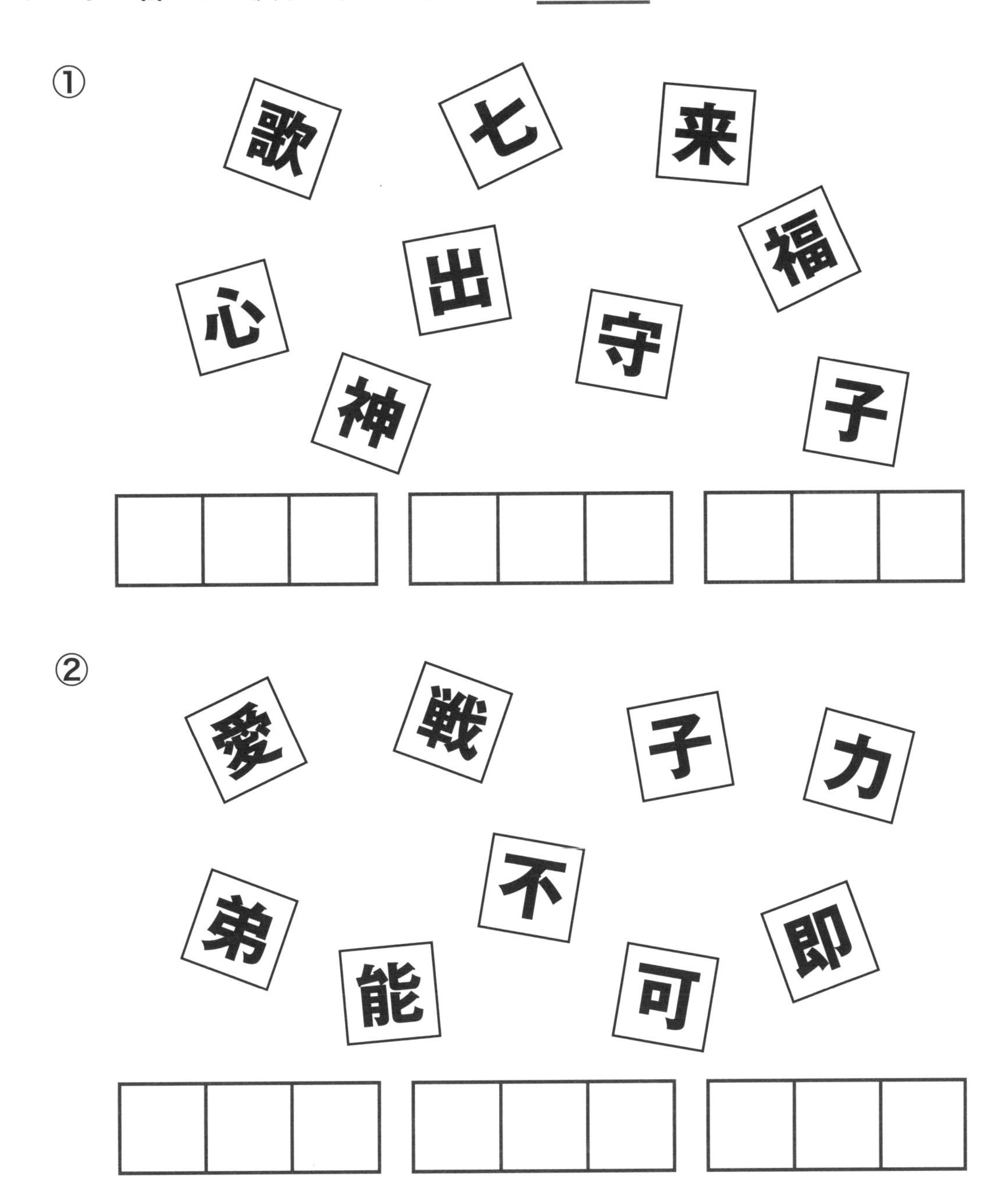

注意集中

漢字絵

月　日	正答数
時間　分　秒	／5

「雪」の字を使った漢字絵です。この中に違う漢字が５つ交ざっていますので、〇で囲みましょう。

間違い　5か所

雪雪雪雪雪雪雪　　雪雪雪雪　　　雪雪雪雪雪雪雪雪雪雪雪
雪雪雪雪雪雪　雪雪　雪　　　　　　　雪雪雷雪雪雪雪雪雪
雪　雪雪雪　雪電雪雪　　　　　　　　雪雪雪雪雪雪雪雪雪
　　　雪雪　雪雪雪雪　　　　　　　　　雪雪雪雪雪雪雪雪
雪　雪雪雪雪　雪雪　　　雪雪　雪雪　　雪雪雪雪雪雪雪雪
雪雪雪雪雪雪雪　雪　　　雪雪　雪雪　　雪雪雪雪雪雪雪雪
雪雪雪雪雪雪雪雪　　　　　　　　　　　雪雪雪雪雪雪雪雪
雪雪雪雪雪雪雪雪雪　　　　　　　　　　雪雪雪　雪　雪雪
雪雪　雪　雪雪雪雪雪　　　雪雪霜　　　雪雪雪　　雪雪雪
雪雪雪　　雪雪雪雪雪　　　　　　　　雪雪雪雪　　　雪雪
雪雪　　　　雪雪雪雪雪　　　　　　　雪雪雪　　雪雪雪雪
雪雪雪雪雪　　雪雪雪　　　　　　　　　　　　雪雪雪　雪
雪雪雪雪雪雪　　　　　　　　　　　　　　　雪雪雪
雪雪雪雪雪雪雪　　　　　　　　　　　　　　　雪雪雪　雪
雪雪　雪雪需　　　　　　　　　　　　　　　　　雪雪雪雪
雪　　　雪雪　　　　　　　　　　　　　　　　　雪雪雪雪
雪雪　雪雪雪　　　　　　　　　　　　　　　　　雪雪雪雪
雪雪雪雪雪雪　　　　　　　　　　　　　　　　　雪雪雪雪
雪雪雪雪雪雪　　　　　　　　　　　　　　　　　雪雪雪雪
雪雪雪雪雪雪　　　　　　　　　　　　　　　　　雪雪雪雪
雪雪　雪雪雪雪　　　　　　　　　　　　　　　雪雪雪雪雪
雪　　　雪雪雪雪　　　　　　　　　　　　　　雪雪　雪雪
雪雪　雪雪雪雪雪　　　　　　　　　　　　　　雪　　　雪
雪雪雪雪雪雪雪雪雪　　　　　　　　　　　　雲雪雪　雪雪
雪雪雪雪雪雪雪雪雪雪　　　　　　　　　雪雪雪雪雪雪雪雪
　　　　　　　　　　雪雪雪雪雪雪雪雪雪

52日 頭の回転

スピード計算

月	日	正答数
時間 分	秒	／16

できるだけ速く計算をしましょう。

① 27 ÷ 3 = □

② 5 + 6 = □

③ 3 × 3 = □

④ 54 ÷ 9 = □

⑤ 19 + 8 = □

⑥ 12 − 5 = □

⑦ 6 × 5 = □

⑧ 8 − 2 = □

⑨ 16 ÷ 4 = □

⑩ 2 − 1 = □

⑪ 5 × 6 = □

⑫ 17 − 3 = □

⑬ 8 × 6 = □

⑭ 28 ÷ 7 = □

⑮ 6 + 3 = □

⑯ 7 × 1 = □

漢字ジグソー

月 日	正答数
時間 分 秒	／9

漢字のパーツを組み合わせて、漢字１字をつくりましょう。

解き方は 21 ページ

もとの字

④

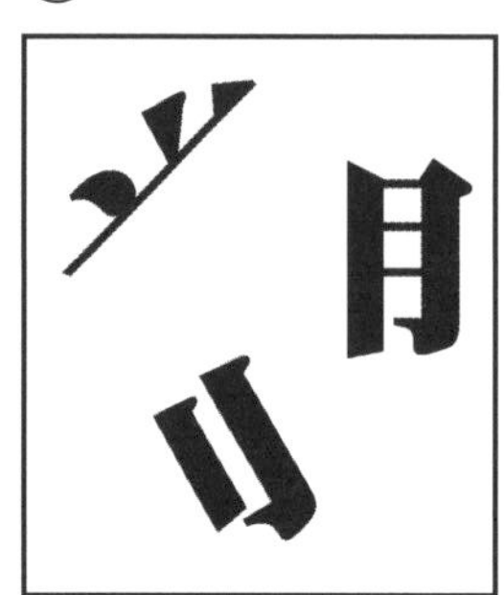

もとの字

⑦

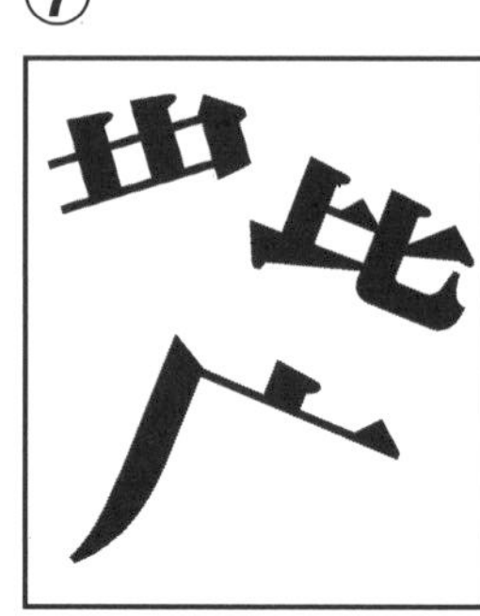

もとの字

②

もとの字

⑤

もとの字

⑧

もとの字

③

もとの字

⑥

もとの字

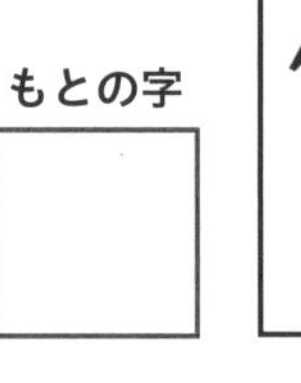

⑨

もとの字

仲間はずれ探し

月　日	正答数
時間　分　秒	／2

他の絵と違う羽子板とコマを１つずつ見つけましょう。

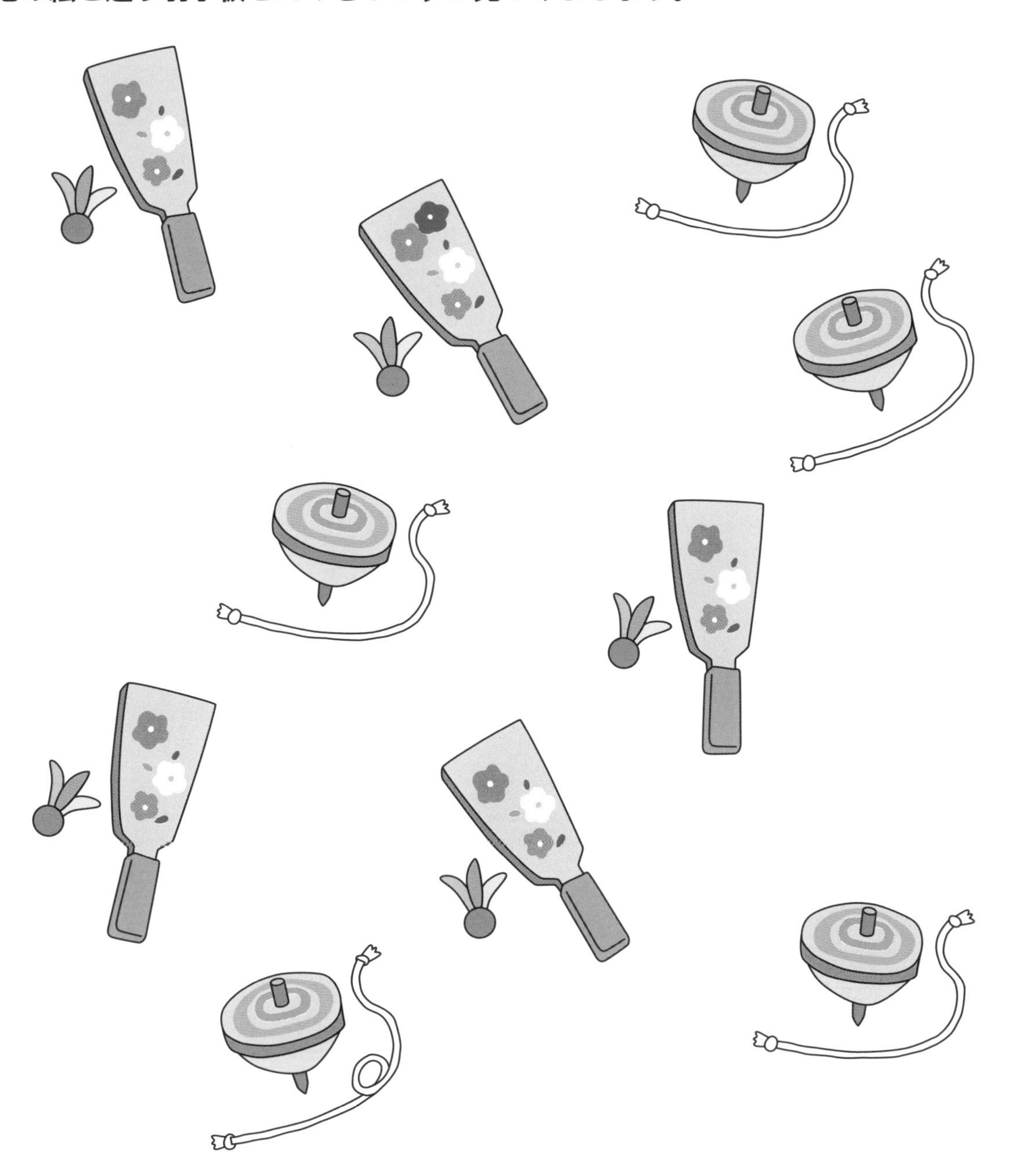

しりとり計算

月　日　正答数

時間　分　秒　／15

スタートからゴールまで、答えを□に書いて計算しましょう。

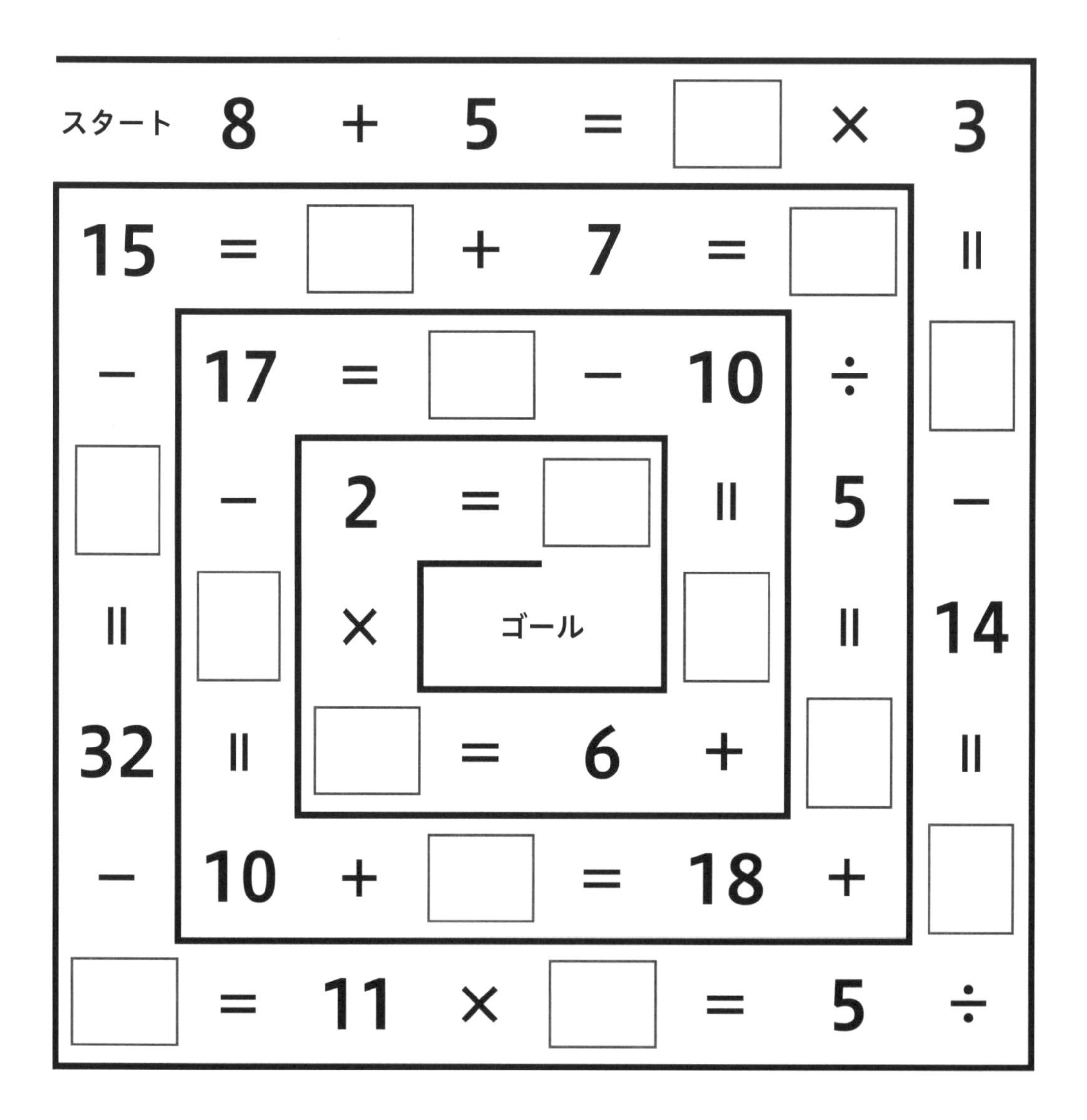

観光地パズル

月　日	正答数
時間　分　秒	／14

リストの中から漢字を選んで、観光地の名前を完成させましょう。

① 八□田山（はっこうださん）（青森県）

② 吉野ヶ□遺跡（よしのがりいせき）（佐賀県）

③ □波山（つくばさん）（茨城県）

④ 箱□温泉（はこねおんせん）（神奈川県）

⑤ 宍□湖（しんじこ）（島根県）

⑥ 天□諸島（あまくさしょとう）（熊本・鹿児島県）

⑦ 名古□城（なごやじょう）（愛知県）

⑧ 磐□山（ばんだいさん）（福島県）

⑨ □路城（ひめじじょう）（兵庫県）

⑩ □浜（かつらはま）（高知県）

⑪ 阿□湖（あかんこ）（北海道）

⑫ 天橋□（あまのはしだて）（京都府）

⑬ 九十□里浜（くじゅうくりはま）（千葉県）

⑭ 宇奈□温泉（うなづきおんせん）（富山県）

リスト

月	寒	里	九	桂	根	立
草	梯	道	姫	屋	筑	甲

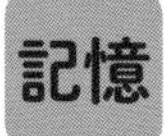

記憶で足し算

▲覚えた時間は除く

 は2  は4  は5 を10～20秒で覚えましょう。

上の問題文を手か紙でかくして、足した数を答えましょう。

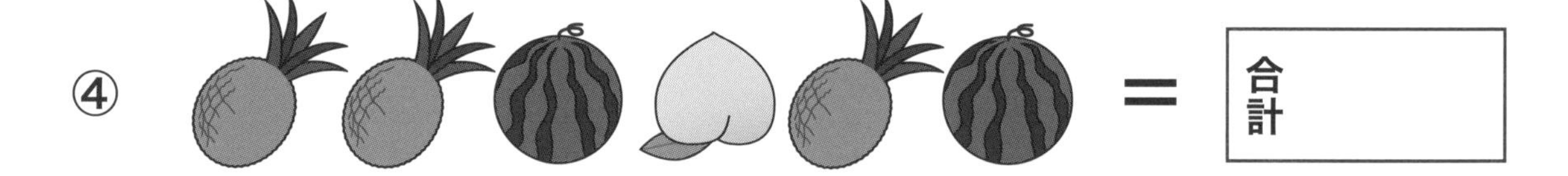

仲間はずれ探し

月 日	正答数
時間 分 秒	／1

１つだけ他と違っている絵を探しましょう。

月	日	正答数
時間 分	秒	／3

２つの数を足すと１００になるペアが３組あります。答えを□に書きましょう。

〈１００のペア〉

36	67	22	89	58	12
47	13	52	96	77	49
71	61	93	25	76	27
39	92	44	97	1	70
91	60	28	65	88	45
59	30	62	34	6	68

□と□　□と□　□と□

漢字絵

月　日　時間　分　秒　正答数　／5

「南船北馬」の字を使った漢字絵です。この中に違う漢字が５つ交ざっていますので、〇で囲みましょう。

間違い　5か所

船
船 船 船 船 船 船 船 船 船 船 船 船 船 船
船 船 船 船
船 船
船 船
船 船
船 船 船 船 船 船 船 船 船 船 船 船
船 船 船 船 船 船 船 船 船
船 船 船 船 船 船 船 船 鉛 船 船 船 船
船 船
舶 船 船 船 南 南 南 船 船 船 船 船 船 船 船 船 船 船 船
南 南 船 船 南 南 船 船 南 南 関 南 南 船 船 南 南 南 南 南
南 南 南 南 南 南 南 南 南 南

北 北 馬 馬 北 北 北
北 北 北 馬 馬 馬 北 北
北 北 馬 馬 馬 馬 北 北 北
北 馬 馬 馬 馬 馬 北 北
馬 馬 馬 馬 馬 馬 馬 馬 馬 馬 馬
馬 馬 馬 馬 馬 馬 馬 馬 馬 馬 馬
馬 馬 馬 馬 馬 馬 鳥 馬 馬 馬 北 北 北 北
北 北 北 北 北 馬 馬 馬 馬 馬 馬 馬 馬 馬 馬 馬
此 北 北 馬 馬 馬 馬 馬 馬 馬 馬 馬
北 北 北 北 馬 馬 馬 馬 馬 馬
馬 馬 馬 馬 馬 馬 馬
馬 馬

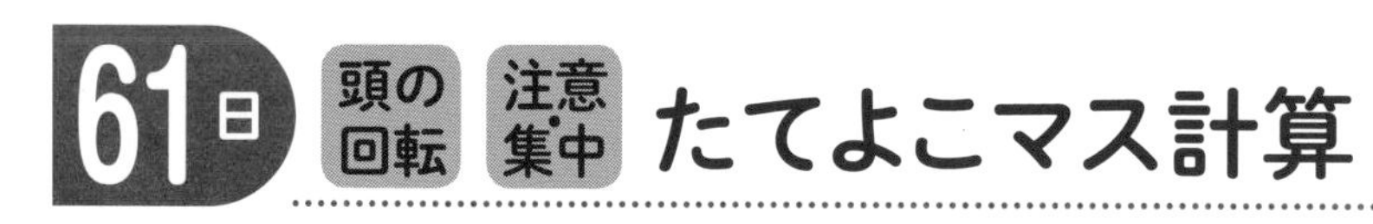

たてよこマス計算

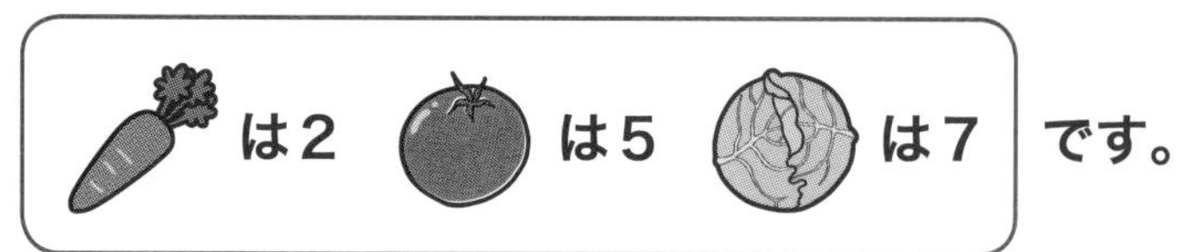

です。

たて列、よこ列のそれぞれの合計を答えましょう。

解き方は 52 ページ

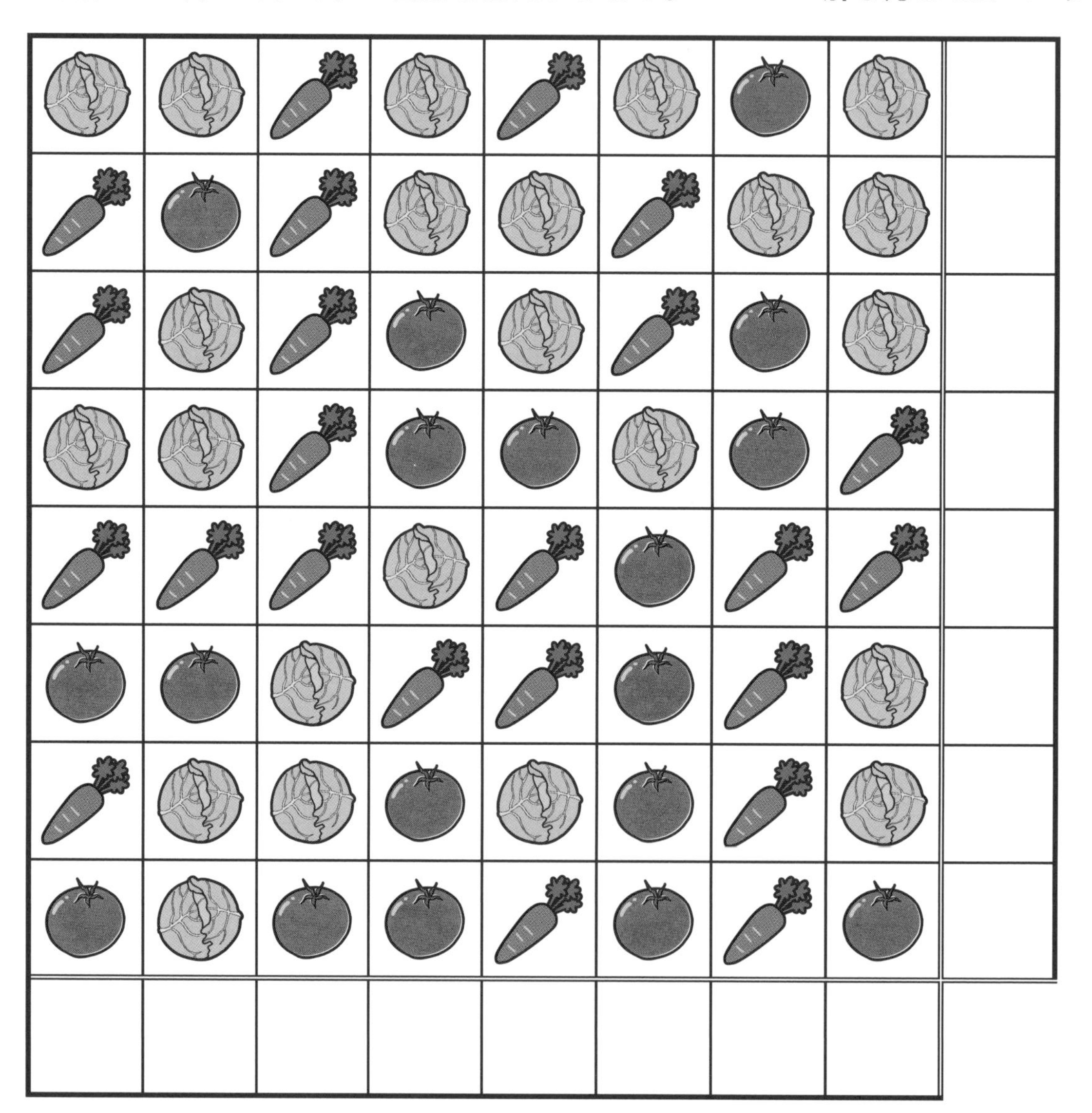

熟語でしりとり

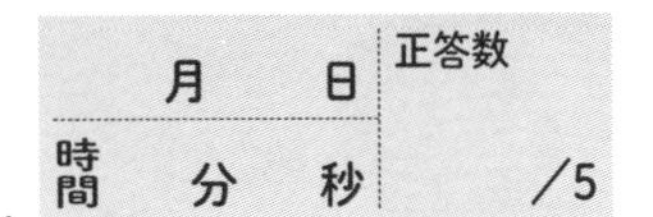

札にある熟語の読みでしりとりをします。しりとりですべての札がつながるように左から読みを書いて並べ替えましょう。

解き方は14ページ

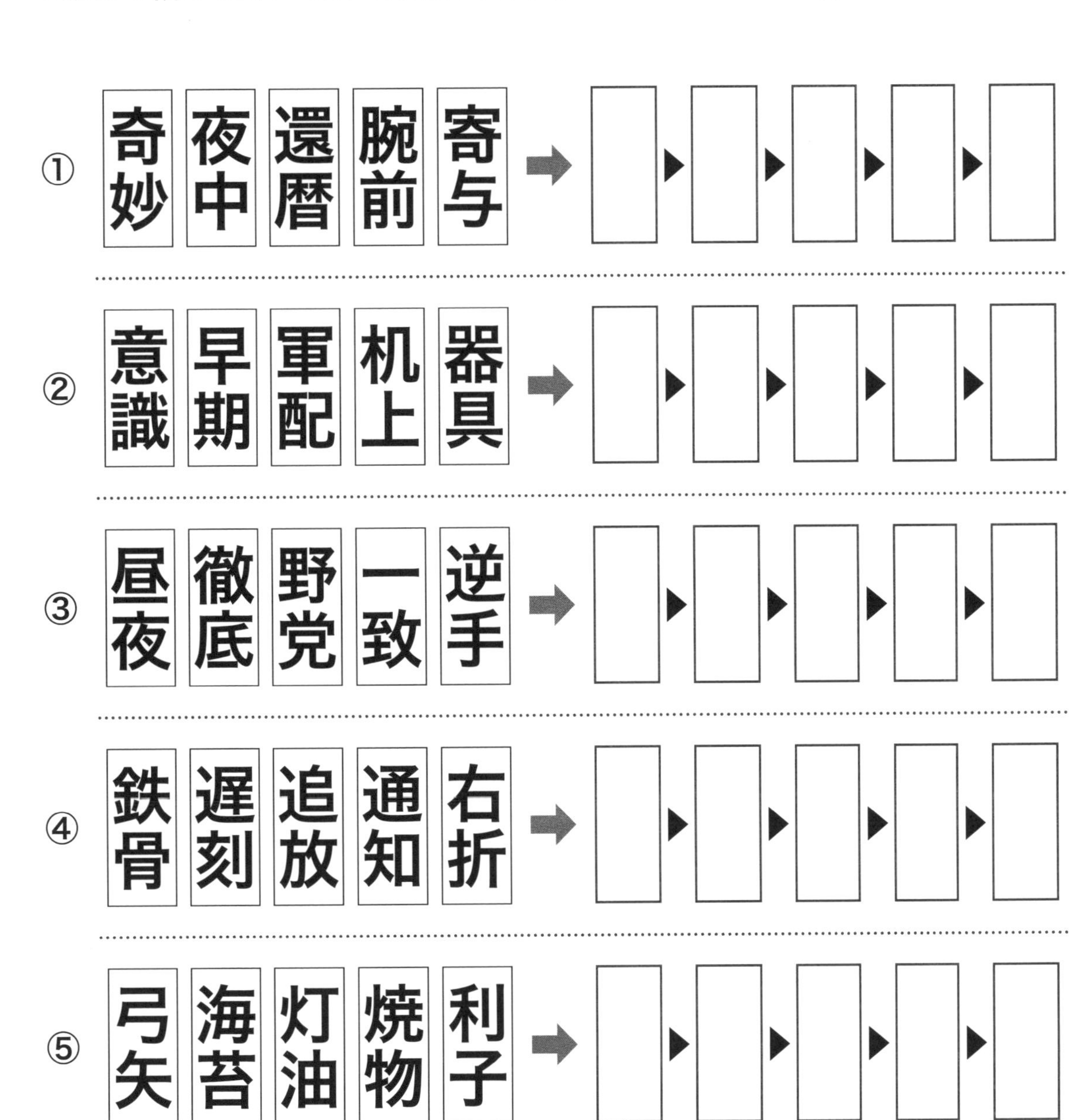

63日 注意集中 記憶 漢字ジグソー

月 日	正答数
時間 分 秒	／9

漢字のパーツを組み合わせて、漢字１字をつくりましょう。

解き方は 21 ページ

もとの字

②

もとの字

③

もとの字

④

もとの字

⑤

もとの字

⑥

もとの字

⑦

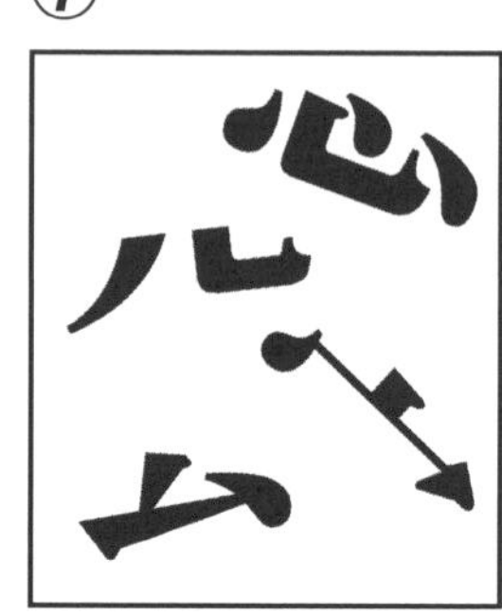

もとの字

⑧

もとの字

⑨

もとの字

64日 頭の回転 スピード計算

月 日	正答数
時間 分 秒	／16

できるだけ速く計算をしましょう。

① $28 \div 4 =$ □

② $17 + 5 =$ □

③ $2 \times 3 =$ □

④ $81 \div 9 =$ □

⑤ $11 + 6 =$ □

⑥ $18 - 5 =$ □

⑦ $8 \times 3 =$ □

⑧ $7 - 3 =$ □

⑨ $8 + 8 =$ □

⑩ $20 - 3 =$ □

⑪ $3 \times 4 =$ □

⑫ $9 - 8 =$ □

⑬ $7 \times 4 =$ □

⑭ $9 \div 3 =$ □

⑮ $2 + 6 =$ □

⑯ $5 \times 9 =$ □

記憶

同音異字パズル

月　日	正答数
時間　分　秒	／14

リストの字を□に入れて三字熟語のペアをつくりましょう。

解き方は 25 ページ

	読み		読み	
①	かよう	自□□ — □□日	かよう	
②	ちょうりつ	視□□ — □□師	ちょうりつ	
③	げんきょう	桃□□ — □□届	げんきょう	
④	こうにん	通□□ — □□者	こうにん	
⑤	ていし	鑑□□ — □□線	ていし	
⑥	きんだい	平□□ — □□化	きんだい	
⑦	かんさ	時□□ — □□役	かんさ	

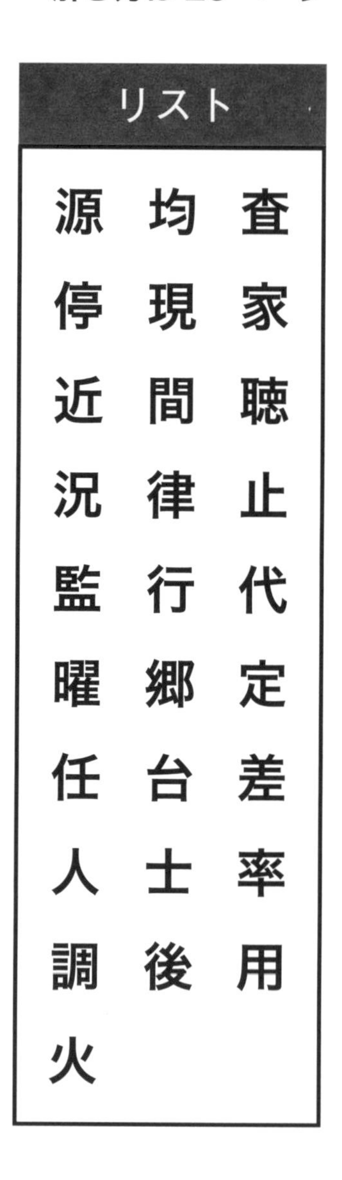

頭の回転 記憶 記憶で足し算

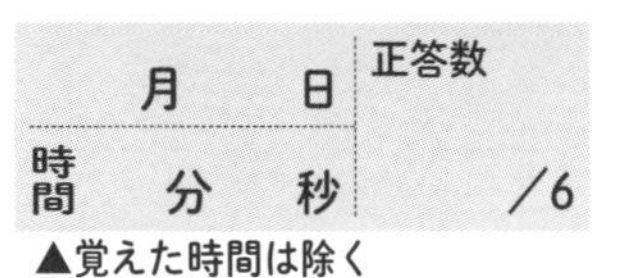

▲覚えた時間は除く

 は6 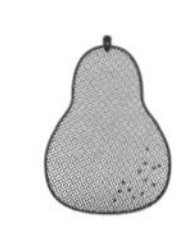 は2 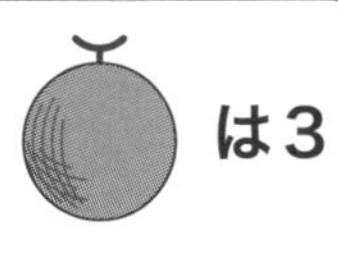 は3 を 10 ～ 20 秒で覚えましょう。

上の問題文を手か紙でかくして、足した数を答えましょう。

①     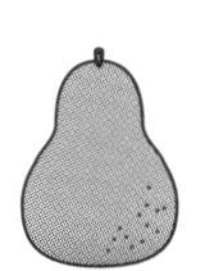  ＝ 合計

②   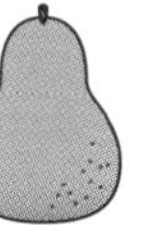  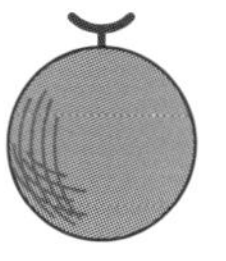   ＝ 合計

③ 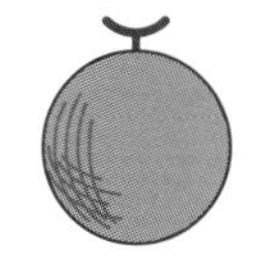  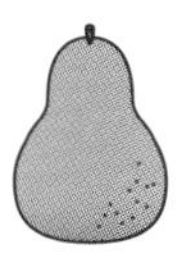 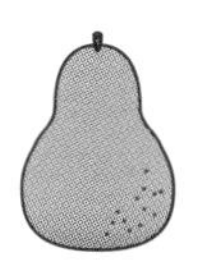 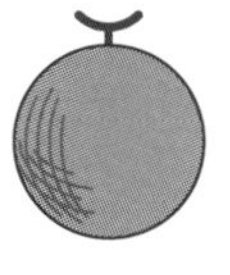 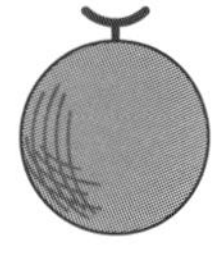 ＝ 合計

④  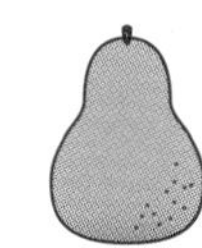 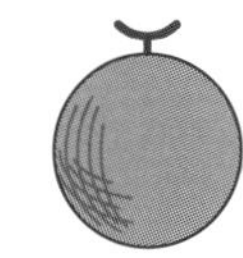 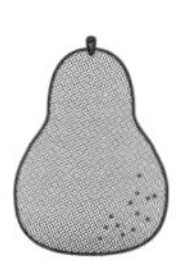 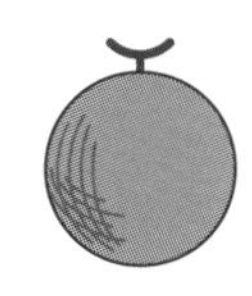 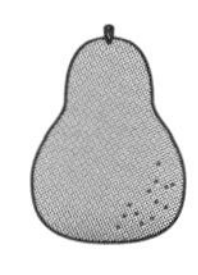 ＝ 合計

⑤ 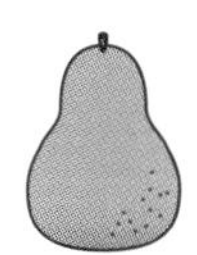    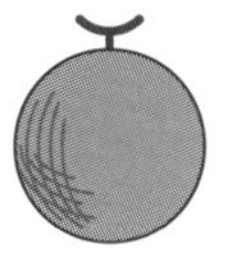  ＝ 合計

⑥  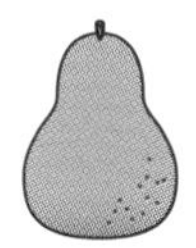    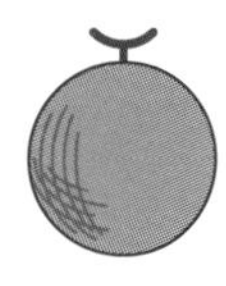 ＝ 合計

仲間はずれ探し

月　日	正答数
時間　分　秒	／2

他の絵と違うヒツジとイノシシを１つずつ見つけましょう。

68日 記憶 注意・集中 二字熟語パズル

月 日	正答数
時間 分 秒	／4

二字熟語が３つに分かれています。もとの二字熟語を答えましょう。

①

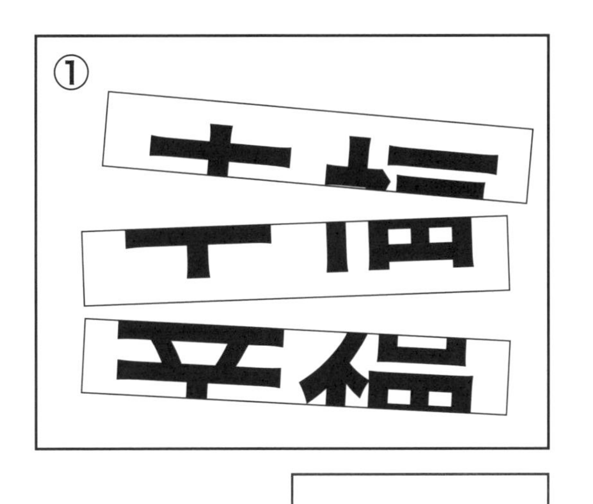

②

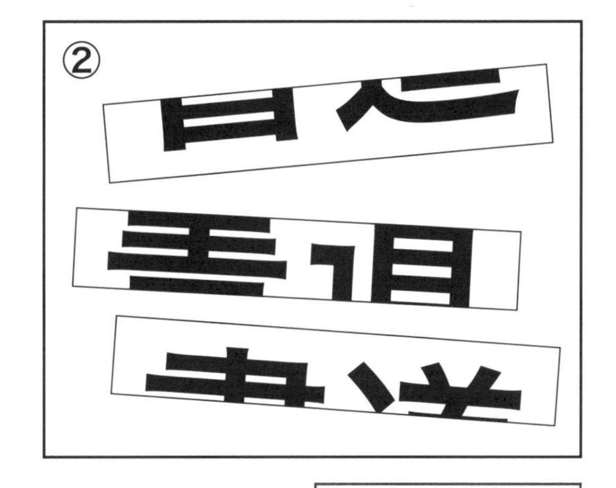

③

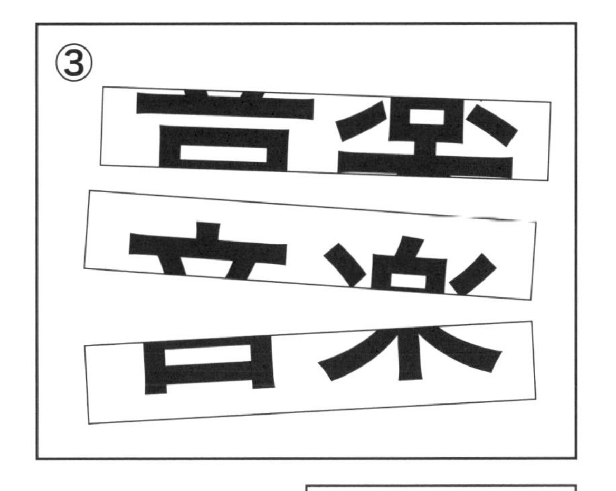

④

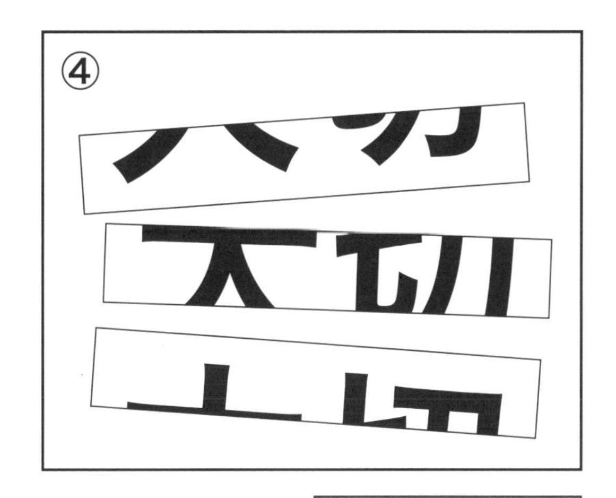

月 日	正答数
時間 分 秒	／3

２つの数を足すと１００になるペアが３組あります。答えを□に書きましょう。

〈１００のペア〉

1	63	12	51	73	7	89
21	42	72	23	8	97	50
75	13	44	81	40	48	33
59	83	91	25	61	26	53
90	29	57	14	16	69	94
60	5	98	64	46	4	66
18	78	45	32	20	85	9

□と□

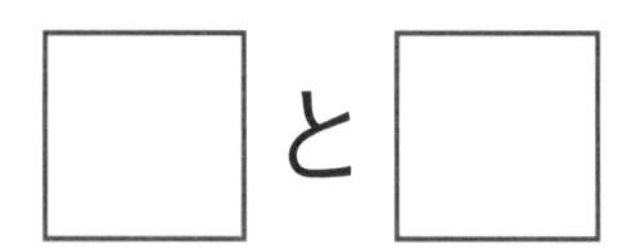

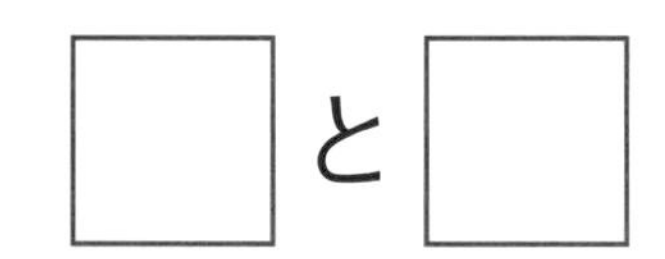

仲間はずれ探し

月 日	正答数
時間 分 秒	／1

1つだけ他と違っている絵を探しましょう。

記憶で足し算

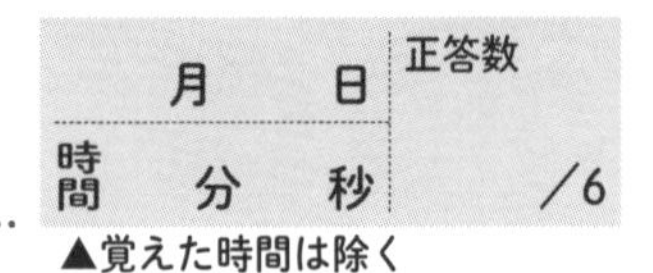

▲覚えた時間は除く

を10～20秒で覚えましょう。

上の問題文を手か紙でかくして、足した数を答えましょう。

漢字絵

月　日	正答数
時間　分　秒	／6

「鳩時計」の字を使った漢字絵です。この中に違う漢字が６つ交ざっていますので、○で囲みましょう。

間違い　6か所

```
　　　　　　　　　　　　　鳩
　　　　　　　　　　鳩鳩鳩鳩鳩鳩鳩
　　　　　　　　鳩鳩鳩　　　　　鳩鳩鳩
　　　　　鳩鳩鳩鳩旭　　鳩　　　　鳩鳩鳩鳩鳩
　　　鳩鳩鳩　　　鳩　鳩鳩鳩　　　鳩　　　鳩鳩鳩
　鳩鳩鳩　　　　　鳩　　鳩鳩鳩鳩　鳩　　　　　鳩鳩鳩
鳩鳩鳩鳩　　　　　鳩　　　鳩　　　鳩　　　　　鴨鳩鳩鳩
　　　時時時時時時時時時時時時時時時時時時時時時
　　　時時時時時時時時時　　　時時時時時時時時時
　　　時時時時時時時　　　時　　　時時時時時時時
　　　時時時持時時　　　　時　　　　時時時時時時
　　　時時時時時時　　　　時　　　　時時時時時時
　　　時時時時時時　　　　時時時　　時時時時時時
　　　時時時時時時　　　　　　　　　時時時時時時
　　　時時時時時時時　　　　　　　時時時時時時時
　　　時時時時時時時時　　　　　時時時時時時昨時
　　　時時時時時時時時時時時時時時時時時時時時時
　　　　　　　計　　　　計計計　　　　計
　　　　　　　計　　　　計計計　　　　計
　　　　　　　計　　　　計計計　　　　計
　　　　　　　計　　　計針計計計　　計計計
　　　　　　　計　　　計計計計計　　計話計
　　　　　　　計　　　計計計計計　　　計
　　　　　　計計計　　　計計計
　　　　　　計計計
　　　　　　　計
```

頭の回転

しりとり計算

月　日
時間　分　秒
正答数　／15

スタートからゴールまで、答えを□に書いて計算しましょう。

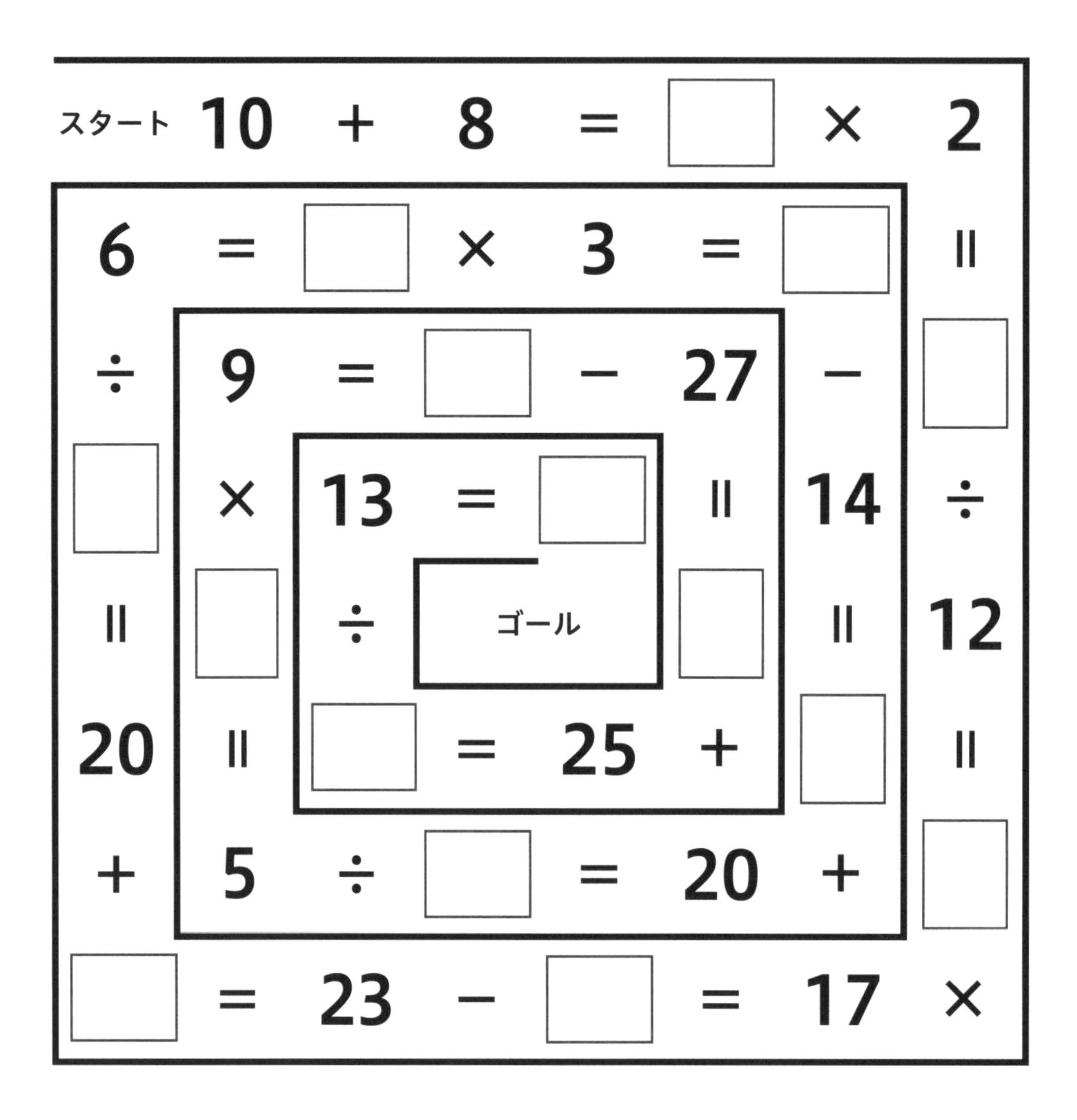

74日 注意集中 記憶

漢字ジグソー

月 日	正答数
時間 分 秒	／9

漢字のパーツを組み合わせて、漢字１字をつくりましょう。

解き方は 21 ページ

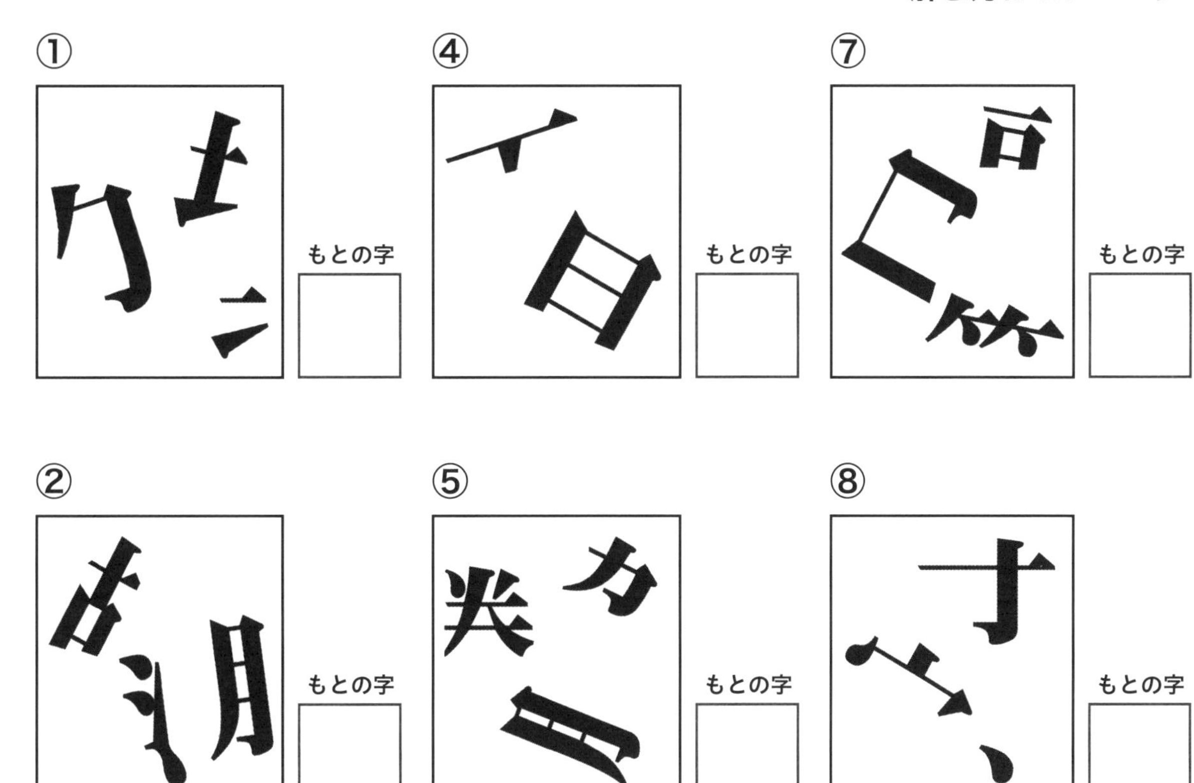

①

もとの字

④

もとの字

⑦

もとの字

②

もとの字

⑤

もとの字

⑧

もとの字

③

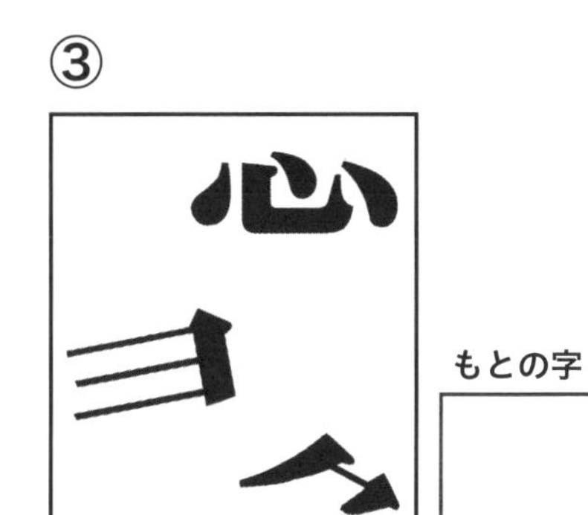

もとの字

⑥

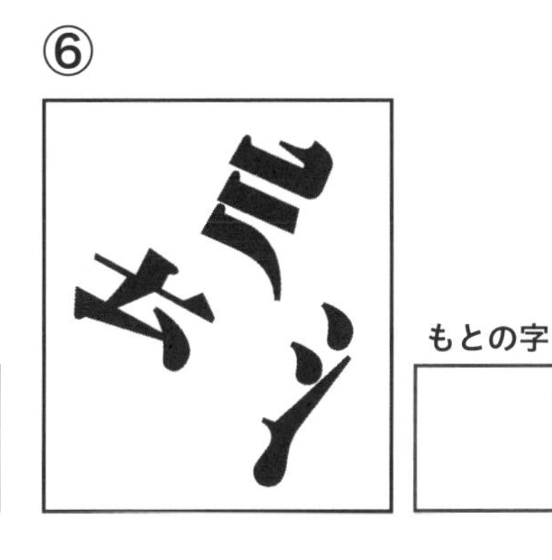

もとの字

⑨

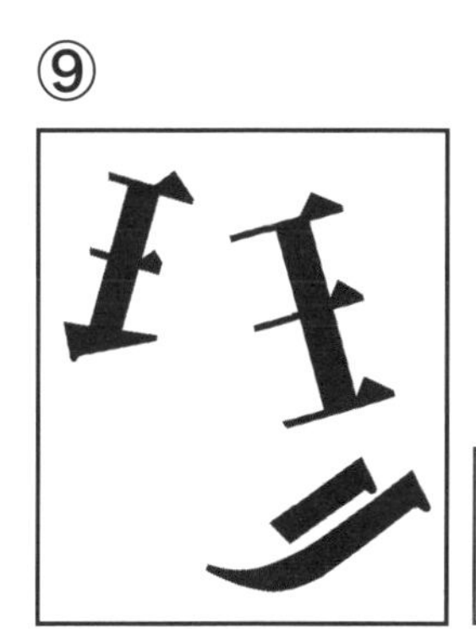

もとの字

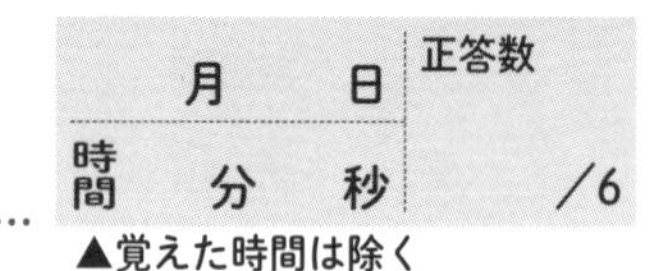

▲覚えた時間は除く

を 10 ～ 20 秒で覚えましょう。

上の問題文を手か紙でかくして、足した数を答えましょう。

① 10 50 100 100 50 100 ＝ 合計

② 100 10 100 100 50 100 ＝ 合計

③ 50 10 10 100 10 50 ＝ 合計

④ 50 50 50 100 10 10 ＝ 合計

⑤ 100 100 10 50 10 100 ＝ 合計

⑥ 10 10 50 100 100 50 ＝ 合計

仲間はずれ探し

月 日	正答数
時間 分 秒	／2

他の絵と違うウシとトラを１つずつ見つけましょう。

月　日
時間　分　秒
正しいマスの数　／24　／28

計算の答えが下のようになるマスをぬり、最後に現れる文字を答えましょう。正しいマスがぬれていれば正解です。

① 答えが4か5か6になるマスを鉛筆でぬりましょう。

2+2	8−1	2+1	7−4	1+4	2+5	7−7	4+3	6+4	7+4	9+9	8+2	6−1
8−3	6+6	5−3	5+4	7−1	2+3	8−2	3+2	6−2	9+8	4−1	2+4	9−9
1+5	7−3	9+4	9−5	3+1	9+7	8−4	4+8	5+9	8−5	4+1	7−2	3+9
5−1	3+4	8−6	5−4	2+6	9−1	1+3	5−2	8+7	9−3	7+6	5+1	6−5
3+3	9−6	6+1	4−2	8+6	9−4	3+7	2−1	1+6	3−1	5+8	4+2	8−7

② 答えが4か8か12になるマスを鉛筆でぬりましょう。

8−1	6+6	9−6	5+4	12−1	18−3	9+3	4−2	6+2	7−4	8+7	5−2	13+5
2+2	12−4	4+4	6−2	4+0	6−3	5+7	9−4	7+1	8−5	15−3	1+1	5+6
11+3	2+8	5−1	7+2	16−7	6+7	7−3	3+6	9−5	10+3	3+9	2−1	8−4
7+5	8+0	2+6	10−6	1+3	7−7	1+8	6−6	8+4	15−4	7+9	11−6	3+1
9+8	13−6	6+3	4+8	7−6	8+3	12+1	1+7	10−9	4+3	3+5	5+3	9−1

記憶

同音異字パズル

月 日	正答数
時間 分 秒	／14

リストの字を□に入れて三字熟語のペアをつくりましょう。

解き方は 25 ページ

① 中□□（せんどう）ー□□者（せんどう）

② 運□□（どうじょう）ー□□者（どうじょう）

③ 倦□□（たいき）ー□□圏（たいき）

④ 世□□（かいかん）ー□□日（かいかん）

⑤ 耐□□（しんせい）ー□□書（しんせい）

⑥ 民□□（げいひん）ー□□館（げいひん）

⑦ 演□□（そうしゃ）ー□□場（そうしゃ）

リスト

大	申	先
芸	怠	賓
同	奏	震
車	動	山
性	館	迎
品	乗	操
観	期	道
導	場	者
請	開	気
界		

79日 頭の回転 注意集中 たてよこマス計算

 は1  は3  は6 です。

たて列、よこ列のそれぞれの合計を答えましょう。

解き方は 52 ページ

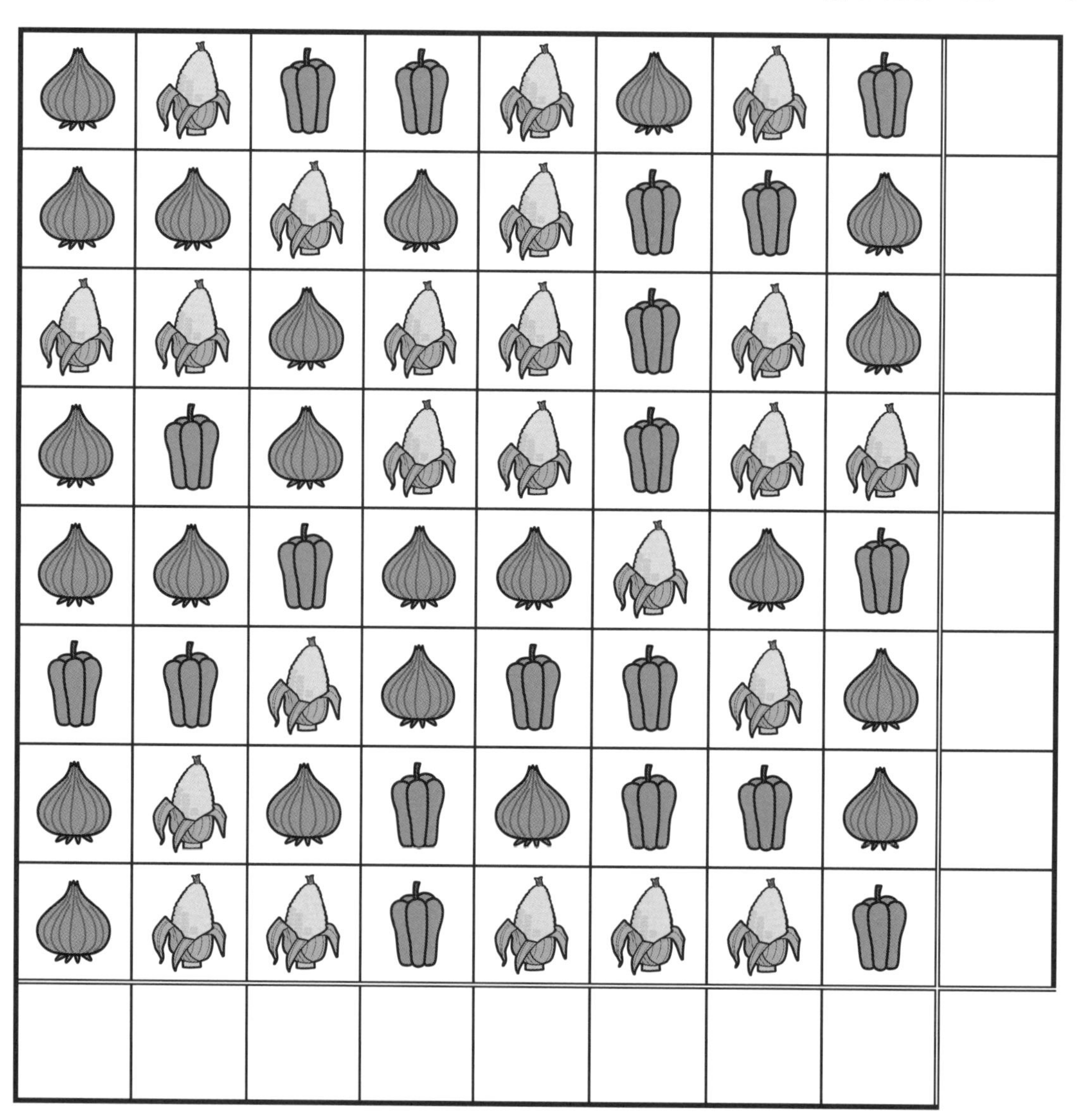

月　日	正答数
時間　分　秒	／4

カードに書かれた漢字を組み合わせて、四字熟語をつくりましょう。

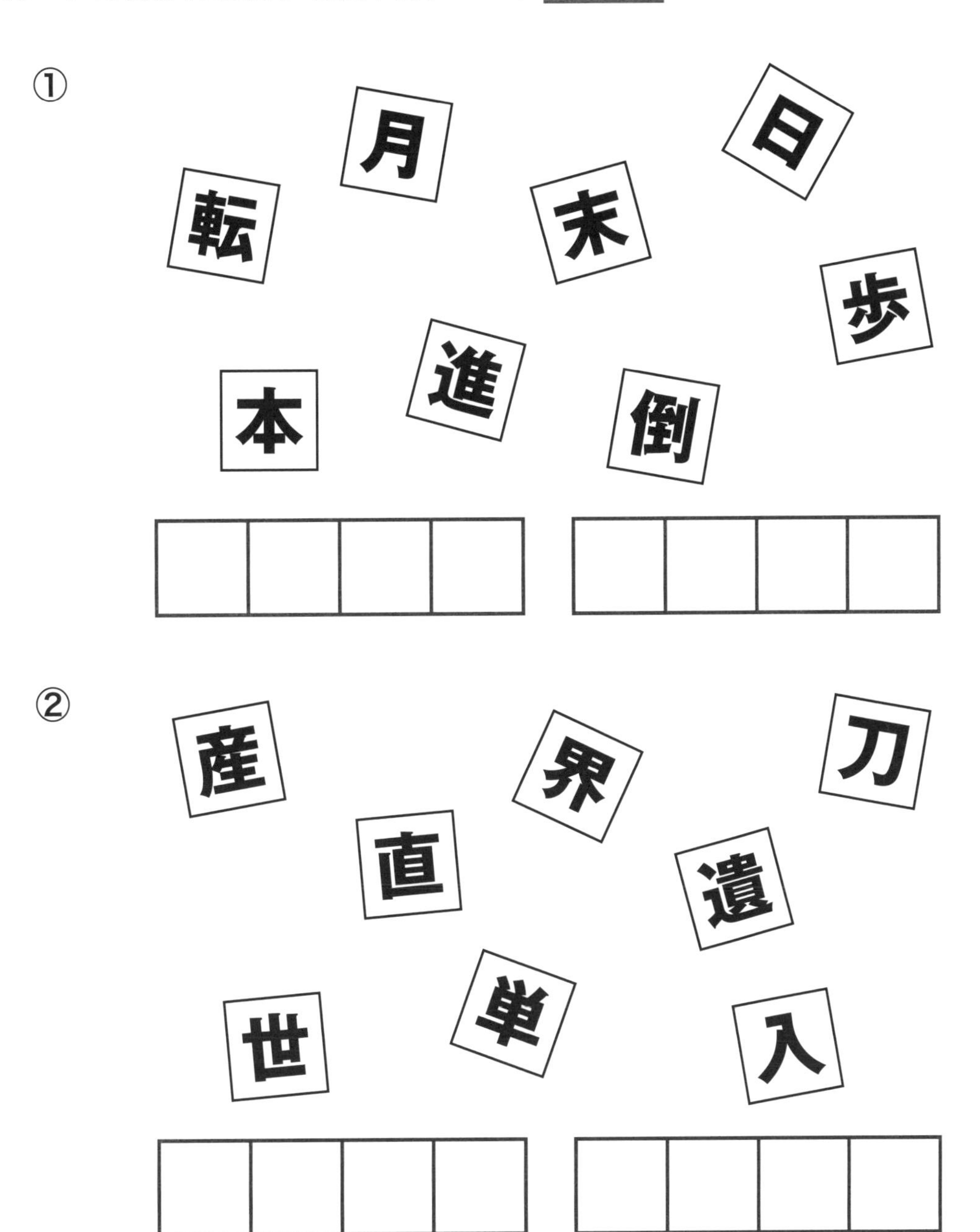

仲間はずれ探し

月　日	正答数
時間　分　秒	／1

1つだけ他と違っている絵を探しましょう。

82日 頭の回転 記憶 記憶で足し算

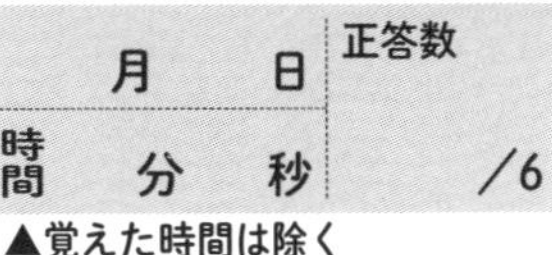

月　日	正答数
時間　分　秒	／6

▲覚えた時間は除く

10 は3　50 は2　100 は1 を 10 ～ 20 秒で覚えましょう。

上の問題文を手か紙でかくして、足した数を答えましょう。

① 100 100 50 50 100 10 ＝ 合計

② 50 100 10 50 10 50 ＝ 合計

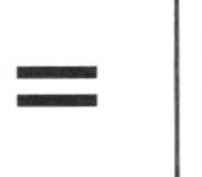

③ 100 100 100 10 50 100 ＝ 合計

④ 10 50 50 100 50 50 ＝ 合計

⑤ 50 100 100 50 50 10 ＝ 合計

⑥ 10 10 50 10 100 10 ＝ 合計

83日 注意・集中 記憶 漢字ジグソー

月 日	正答数
時間 分 秒	/9

漢字のパーツを組み合わせて、漢字１字をつくりましょう。

解き方は 21 ページ

①

もとの字

②

もとの字

③

もとの字

④

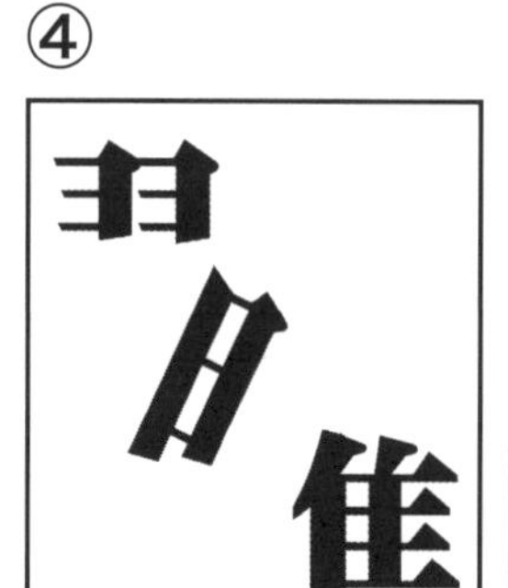

もとの字

⑤

もとの字

⑥

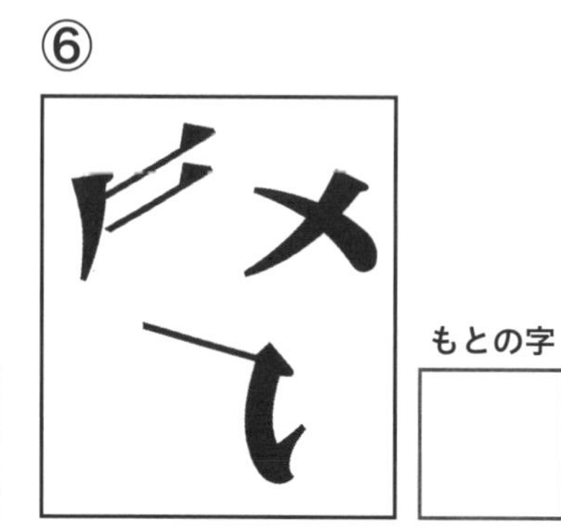

もとの字

⑦

もとの字

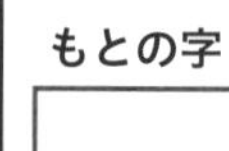

⑧

もとの字

⑨

もとの字

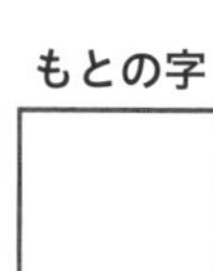

84日 頭の回転

スピード計算

月 日	正答数
時間 分 秒	／16

できるだけ速く計算をしましょう。

① $48 \div 8 =$ □

② $18 + 9 =$ □

③ $5 \times 5 =$ □

④ $36 \div 4 =$ □

⑤ $2 + 9 =$ □

⑥ $7 - 2 =$ □

⑦ $3 \times 6 =$ □

⑧ $9 - 6 =$ □

⑨ $3 + 5 =$ □

⑩ $9 - 7 =$ □

⑪ $8 \times 7 =$ □

⑫ $15 - 3 =$ □

⑬ $4 \times 8 =$ □

⑭ $14 \div 2 =$ □

⑮ $21 + 4 =$ □

⑯ $9 \times 2 =$ □

記憶

観光地パズル

月	日	正答数
時間 分	秒	／14

リストの中から漢字を選んで、観光地の名前を完成させましょう。

① 能□半島（のとはんとう）（石川県）

② □重山諸島（やえやましょとう）（沖縄県）

③ 浅□寺（せんそうじ）（東京都）

④ □見銀山（いわみぎんざん）（島根県）

⑤ 倉敷□観地区（くらしきびかんちく）（岡山県）

⑥ 通□閣（つうてんかく）（大阪府）

⑦ 花□温泉郷（はなまきおんせんきょう）（岩手県）

⑧ □島（さくらじま）（鹿児島県）

⑨ 襟裳□（えりもみさき）（北海道）

⑩ 二□城（にじょうじょう）（京都府）

⑪ 猪□代湖（いなわしろこ）（福島県）

⑫ 高千□峡（たかちほきょう）（宮崎県）

⑬ 赤□山（あかぎやま）（群馬県）

⑭ 中津□（なかつきょう）（埼玉県）

リスト

岬	苗	美	桜	穂	草	峡
石	八	登	条	巻	城	天

注意・集中

二字熟語パズル

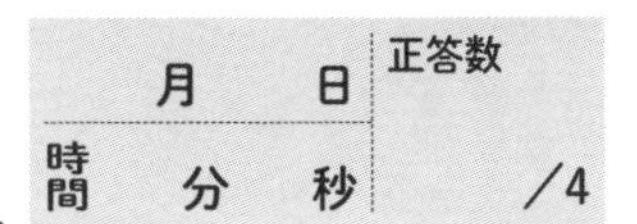

二字熟語が３つに分かれています。もとの二字熟語を答えましょう。

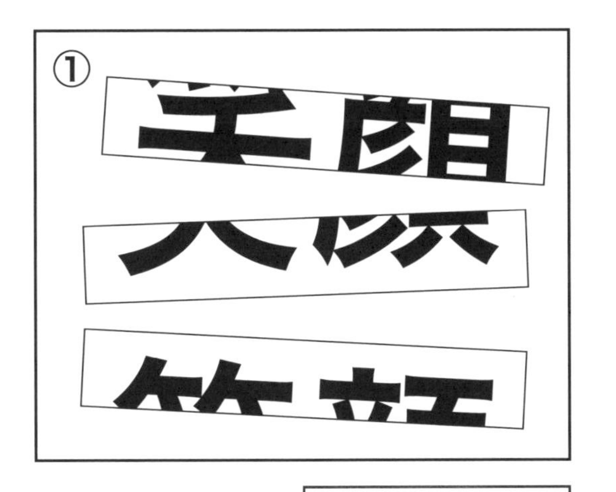

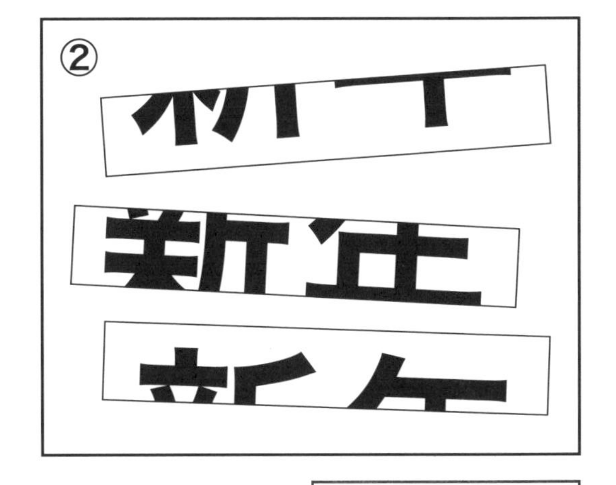

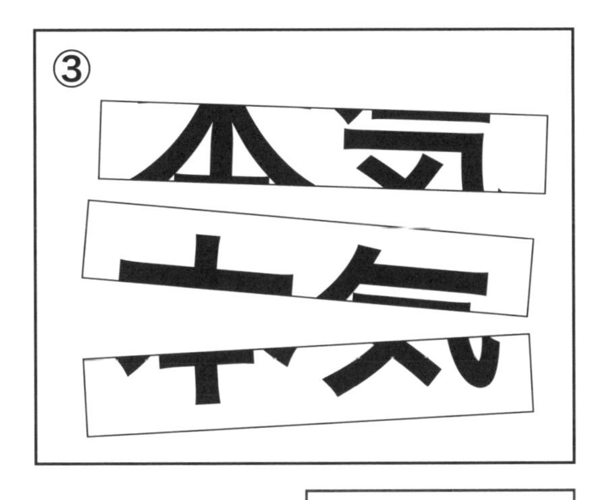

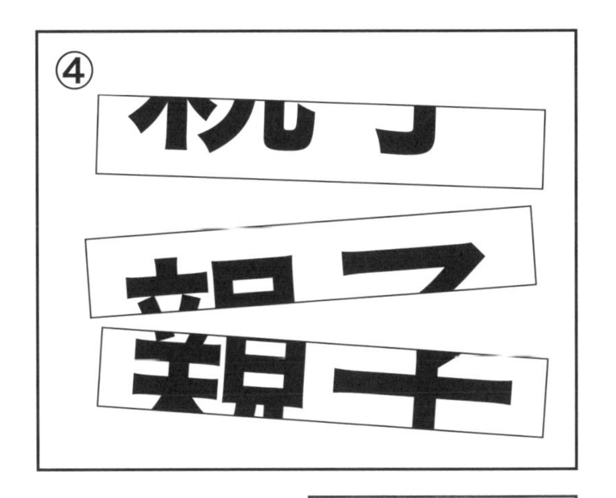

熟語でしりとり

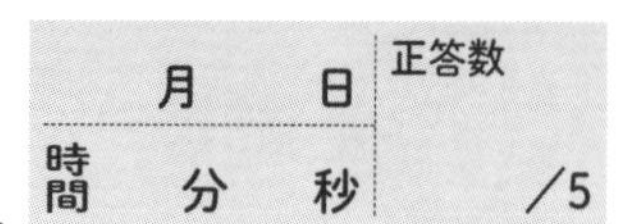

札にある熟語の読みでしりとりをします。しりとりですべての札がつながるように左から読みを書いて並べ替えましょう。

解き方は 14 ページ

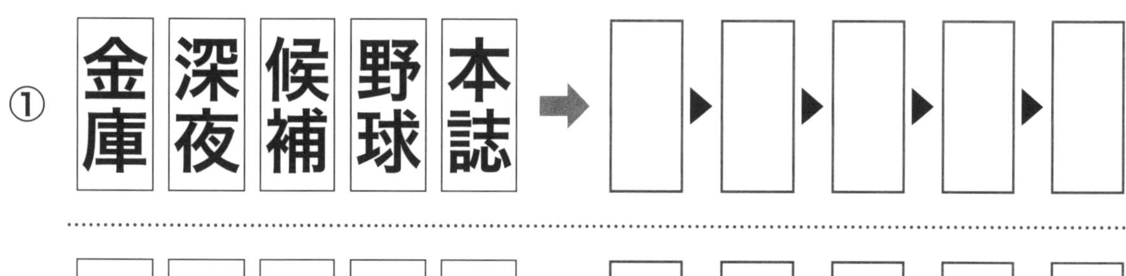

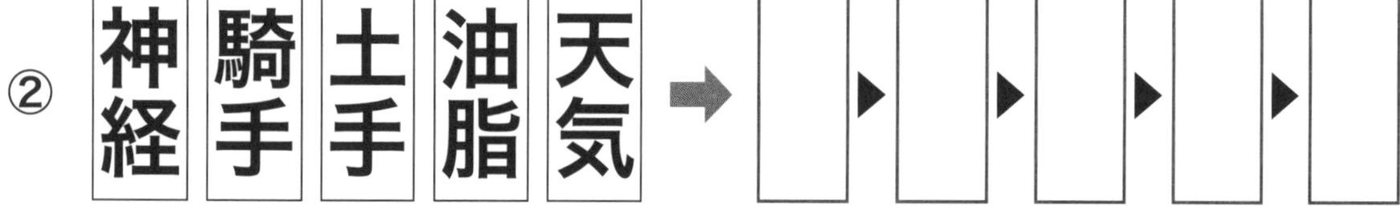

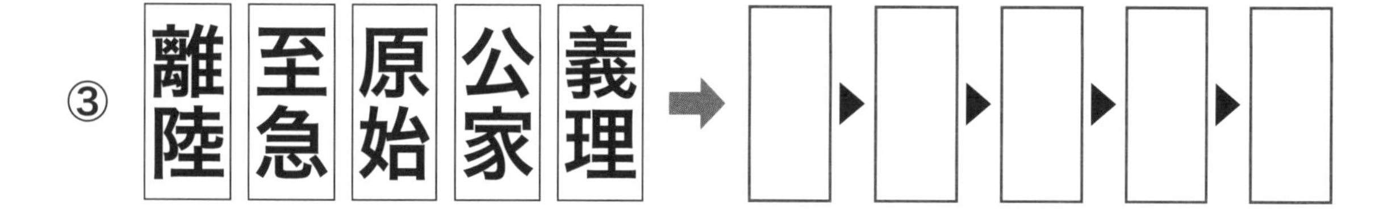

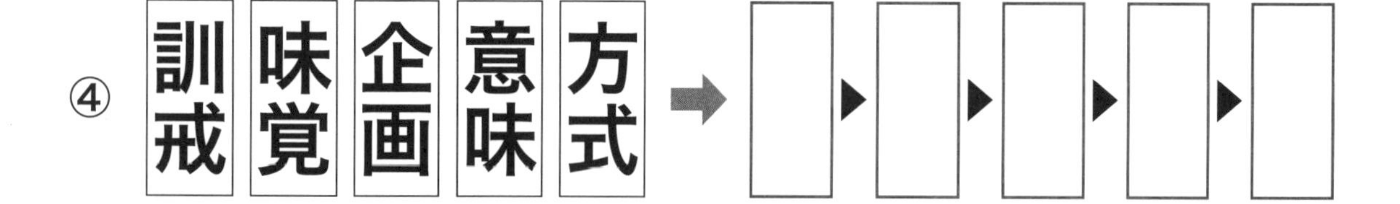

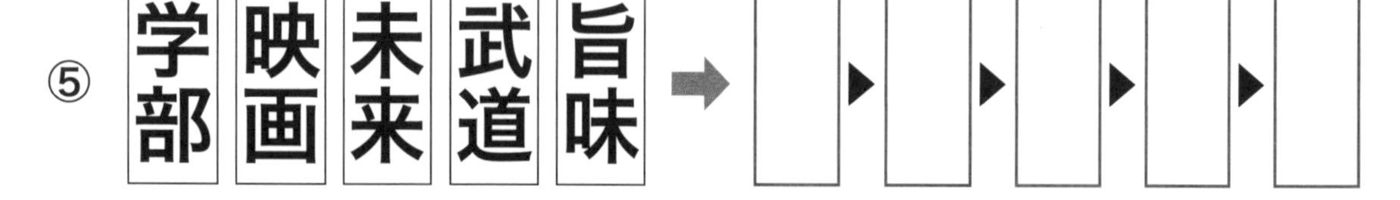

しりとり計算

スタートからゴールまで、答えを□に書いて計算しましょう。

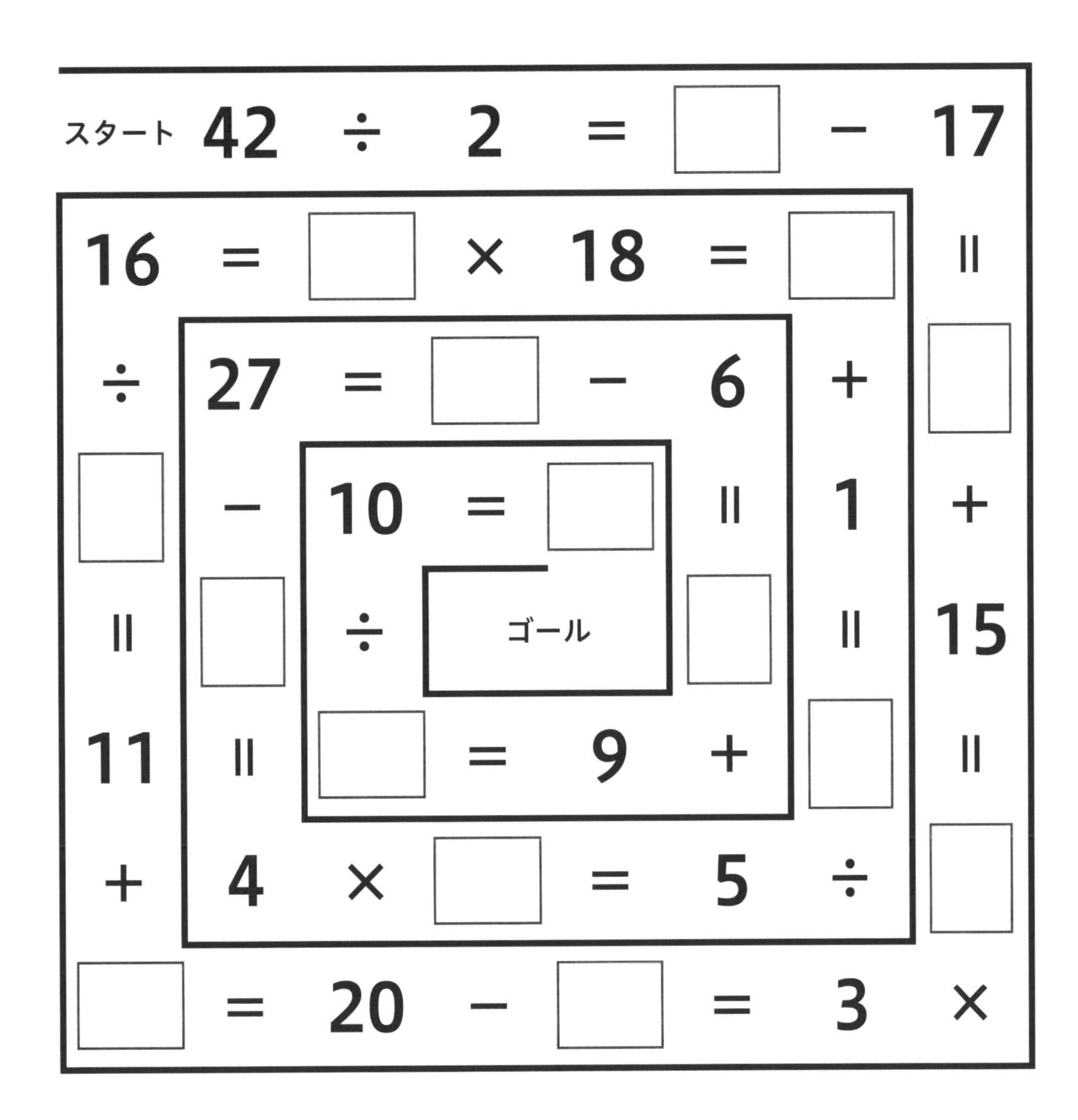

仲間はずれ探し

月　日	正答数
時間　分　秒	／2

他の絵と違うネズミと龍を１つずつ見つけましょう。

90日 頭の回転 記憶 記憶で足し算

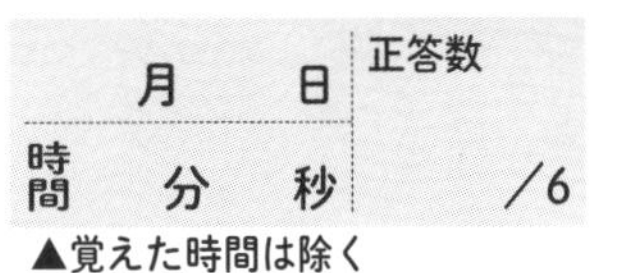

月 日	正答数
時間 分 秒	／6

▲覚えた時間は除く

10 は 5　50 は 25　100 は 50　を 10〜20 秒で覚えましょう。

上の問題文を手か紙でかくして、足した数を答えましょう。

① 10 10 100 100 10 50 ＝ 合計

② 10 10 100 10 50 50 ＝ 合計

③ 10 100 100 10 100 50 ＝ 合計

④ 100 50 10 100 50 100 ＝ 合計

⑤ 50 50 100 10 50 50 ＝ 合計

⑥ 10 10 100 10 10 50 ＝ 合計

同音異字パズル

月	日	正答数
時間 分	秒	／14

リストの字を□に入れて三字熟語のペアをつくりましょう。

解き方は 25 ページ

① 市□□（ちょう せん）—□□者（ちょう せん）

② 飛□□（こう き）—□□心（こう き）

③ 活□□（せい か）—□□物（せい か）

④ 最□□（こう さい）—□□費（こう さい）

⑤ 入□□（かん りょう）—□□制（かん りょう）

⑥ 不□□（しん かん）—□□書（しん かん）

⑦ 活□□（どう か）—□□線（どう か）

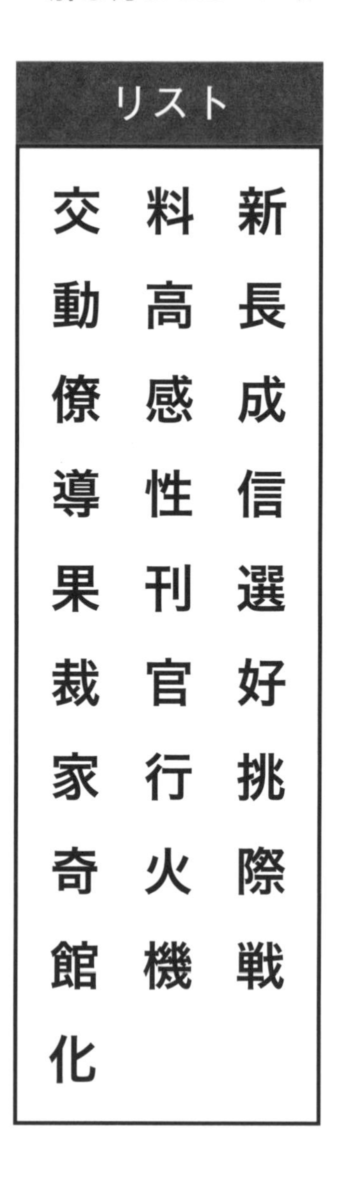

月　日	正答数
時間　分　秒	／3

２つの数を足すと１００になるペアが３組あります。答えを□に書きましょう。

〈１００のペア〉

52	40	9	75	3	82	61
11	66	77	20	55	28	10
74	14	92	21	43	30	84
33	63	2	95	6	17	27
87	24	93	35	99	80	58
4	78	96	15	49	48	46
68	53	38	69	88	56	19

□ と □　　□ と □　　□ と □

注意・集中

漢字絵

月　日	正答数
時間　分　秒	／8

「家」の字を使った漢字絵です。この中に違う漢字が８つ交ざっていますので、〇で囲みましょう。

間違い　8か所

家家家家家家家家
家家家家家家家家家家
家家家家家家家家逐家家家
家家象家家家家家家家家家家家
家家家家家家家家家家家家家家家家
家家　　　家　　　家家家
家家　　　家　　　家家家
家家　　　家　　　家家家
家家　　　家　　　家寒家
家家家実家家家家家家家家家家家家家家家
家家家家家家家家家家家家家家家家家家家家家
家家家家家家家家家家家家家家家家家家家家家家家
家家家家家家家家家家家家家家家客家家家家家家家家家
家家家家　　　　家　　　　家家家家家家家家
家家家家　　　　寅　　　　家家家家家家家家
家家家家　　　　家　　　　家家家家　　家家
家家家家　　　　家　　　　家家家家　　家家
家家家家家家家家家家家家家家家家家家　家家
家家家宴家家家家家家家家家家家家家　　家家
家家家家家家家家家家家家家家家家家　　家家
家家家家家家家家家家家家家家家家家室家家家家家家家家家
家家家家家家家家家家家家家家家家家家家家家家家家家家家
家家家家家家家家家家家家家家家家家家家家家家家家家家家

94日 注意・集中 記憶 漢字ジグソー

月 日	正答数
時間 分 秒	／9

漢字のパーツを組み合わせて、漢字１字をつくりましょう。

解き方は 21 ページ

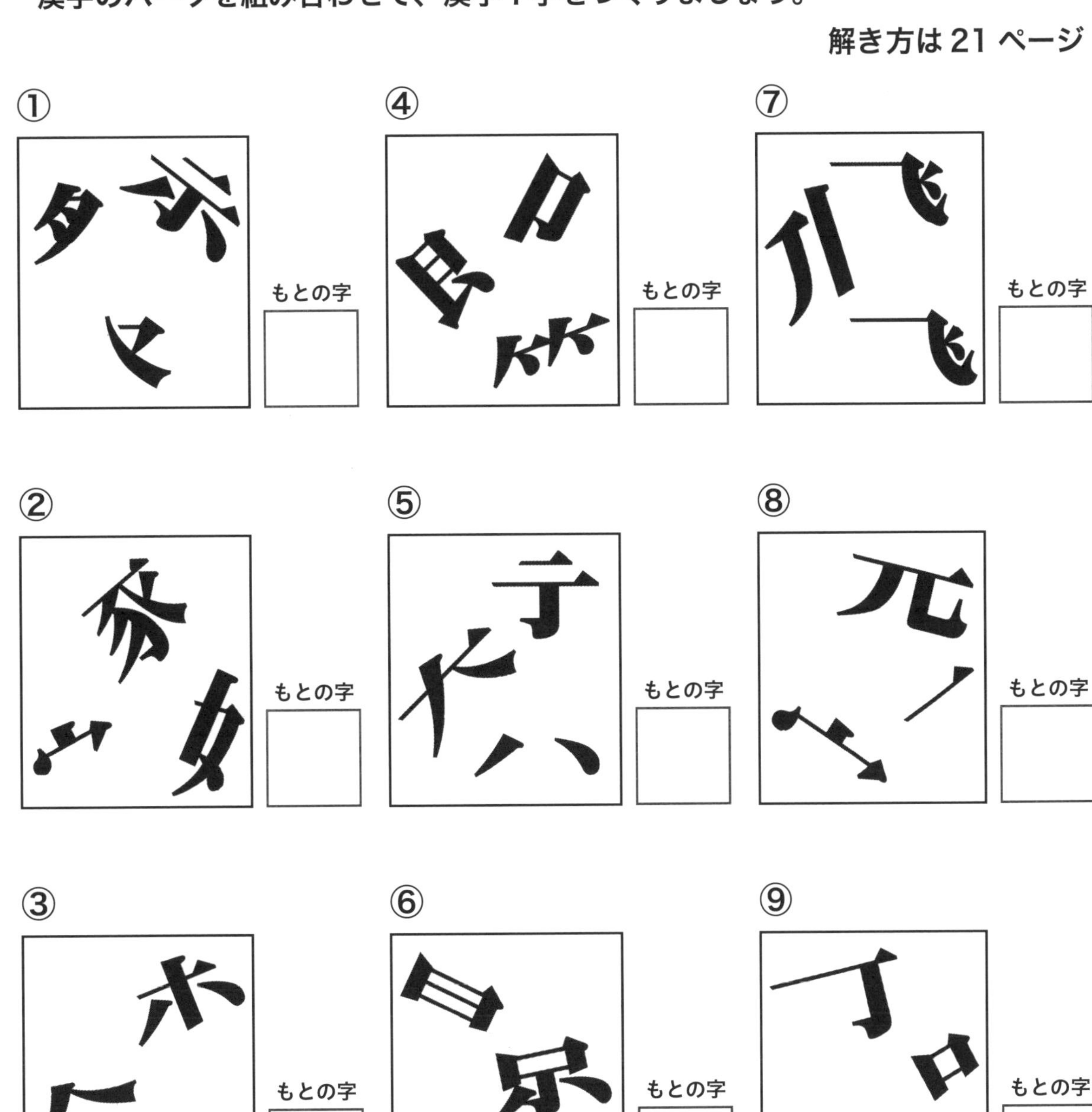

注意・集中

たてよこマス計算

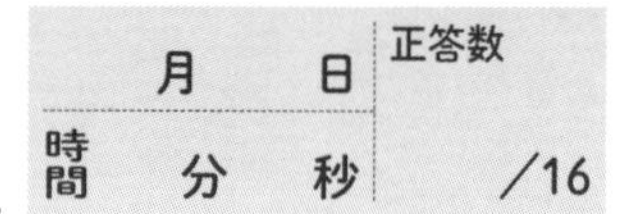

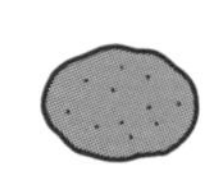 は2  は4  は6 です。

たて列、よこ列のそれぞれの合計を答えましょう。

解き方は 52 ページ

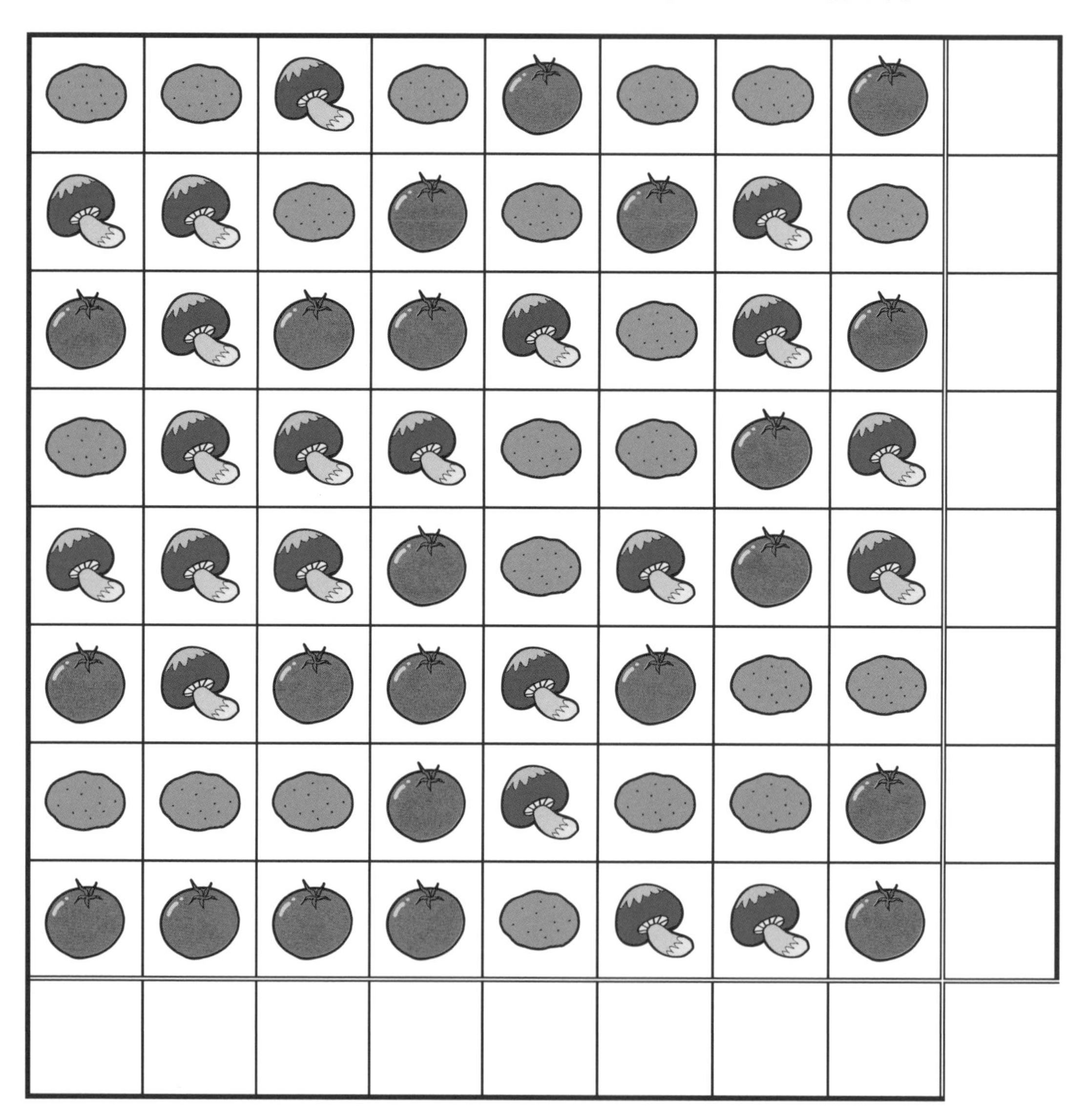

月 日	正答数
時間 分 秒	/6

カードに書かれた漢字を組み合わせて、三字熟語をつくりましょう。

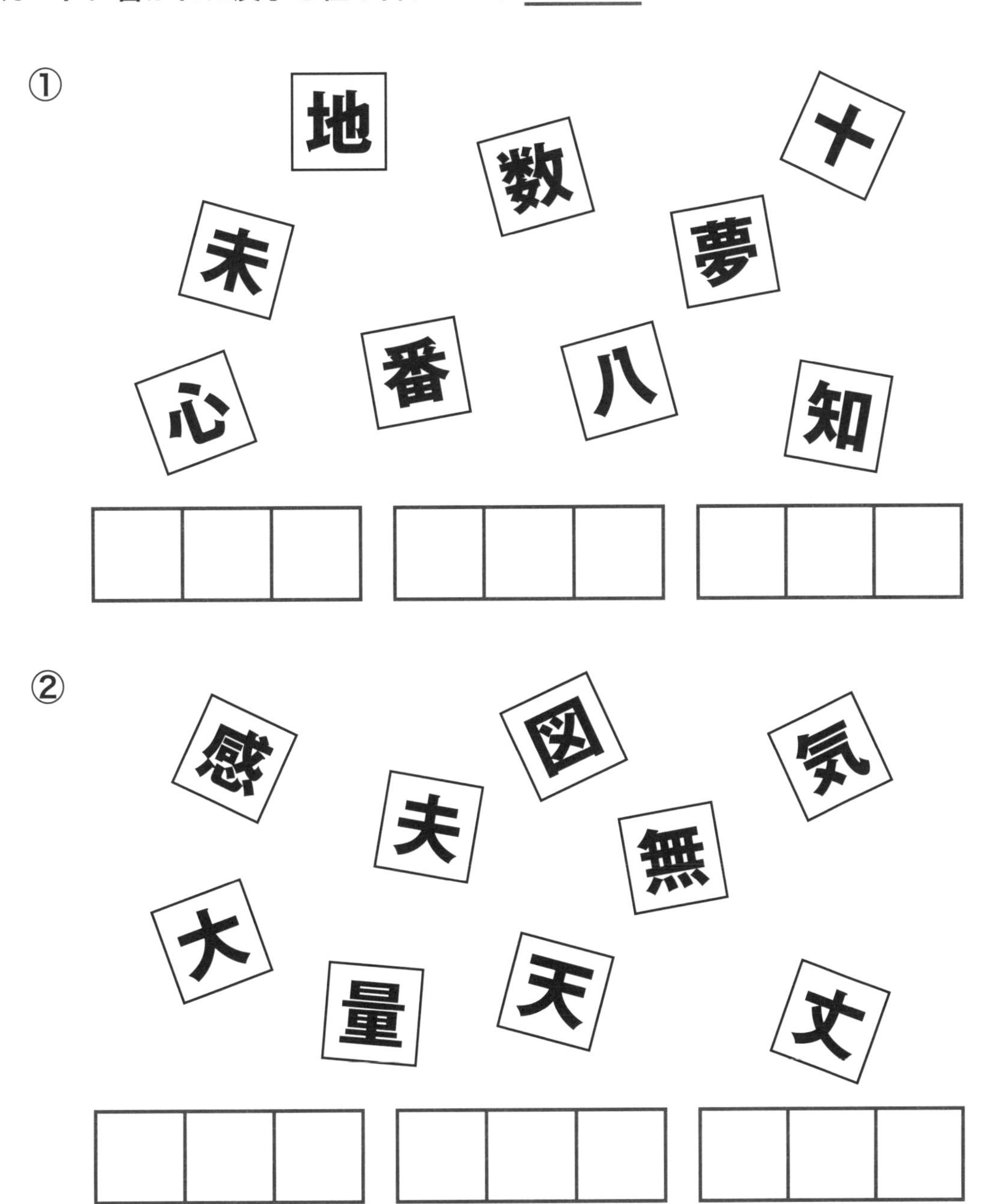

仲間はずれ探し

月　日	正答数
時間　分　秒	／1

1つだけ他と違っている絵を探しましょう。

頭の回転　記憶

記憶で足し算

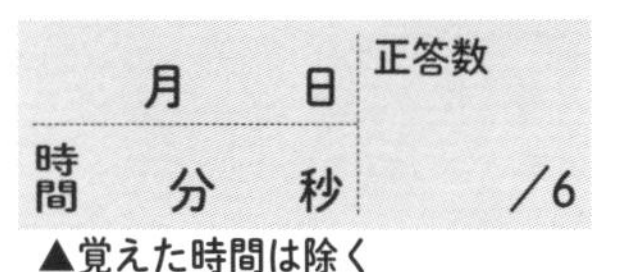

▲覚えた時間は除く

10 は 20　50 は 100　100 は 200 を 10〜20 秒で覚えましょう。

上の問題文を手か紙でかくして、足した数を答えましょう。

①      100　10　10　50　10　50　＝  合計

②   100　100　100　100　10　50　＝ 合計

③  50　10　100　100　100　10　＝ 合計

④  10　100　50　100　100　50　＝ 合計

⑤  100　100　50　10　50　10　＝ 合計

⑥  50　100　10　10　100　10　＝ 合計

記憶

観光地パズル

月　日	正答数
時間　分　秒	／14

リストの中から漢字を選んで、観光地の名前を完成させましょう。

① みささおんせん
三□温泉　（鳥取県）

② のりくらだけ
□鞍岳　（岐阜・長野県）

③ あすかむら
明日□村　（奈良県）

④ でわさんざん
出□三山　（山形県）

⑤ へいわきねんこうえん
平和□念公園　（広島県）

⑥ ぶんごすいどう
□後水道　（大分県）

⑦ こうやさん
□野山　（和歌山県）

⑧ きぬがわおんせん
鬼□川温泉　（栃木県）

⑨ こいびとみさき
□人岬　（静岡県）

⑩ いせじんぐう
□勢神宮　（三重県）

⑪ びわこ
琵□湖　（滋賀県）

⑫ たいせつざん
大□山　（北海道）

⑬ かるいざわ
□井沢　（長野県）

⑭ みいけたんこう
三□炭鉱　（福岡県）

リスト						
豊	軽	怒	雪	池	羽	乗
琶	香	恋	高	記	伊	朝

スピード計算

月 日	正答数
時間 分 秒	／16

できるだけ速く計算をしましょう。

① $12 \div 6 =$ □

② $17 + 8 =$ □

③ $5 \times 4 =$ □

④ $42 \div 7 =$ □

⑤ $6 + 8 =$ □

⑥ $11 - 9 =$ □

⑦ $6 \times 1 =$ □

⑧ $4 - 1 =$ □

⑨ $14 \div 2 =$ □

⑩ $18 - 4 =$ □

⑪ $3 \times 8 =$ □

⑫ $15 - 9 =$ □

⑬ $4 \times 9 =$ □

⑭ $24 \div 4 =$ □

⑮ $1 + 6 =$ □

⑯ $8 \times 9 =$ □

同音異字パズル

月 日	正答数
時間 分 秒	／14

リストの字を□に入れて三字熟語のペアをつくりましょう。

解き方は 25 ページ

① 探□□（けんか）ー□□（けんか）台

② 週□□（かんし）ー□□（かんし）員

③ 研□□（きゅうしょく）ー□□（きゅうしょく）費

④ 破□□（てんこう）ー□□（てんこう）生

⑤ 読□□（しょほう）ー□□（しょほう）箋

⑥ 後□□（けいしゃ）ー□□（けいしゃ）角

⑦ 対□□（こうしゃ）ー□□（こうしゃ）債

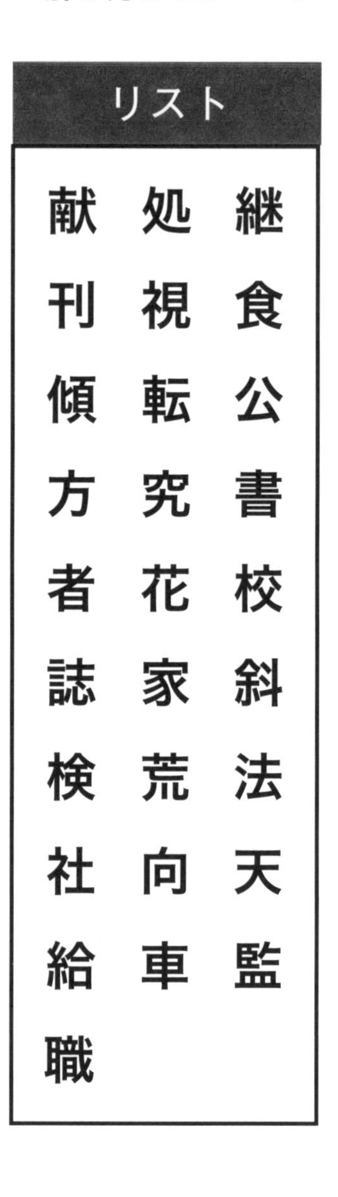

102日 頭の回転 注意・集中 たてよこマス計算

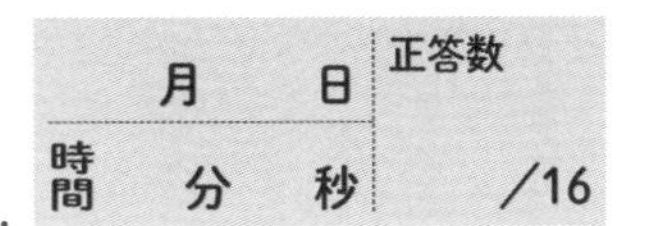

 は8  は4  は2 です。

たて列、よこ列のそれぞれの合計を答えましょう。

解き方は 52 ページ

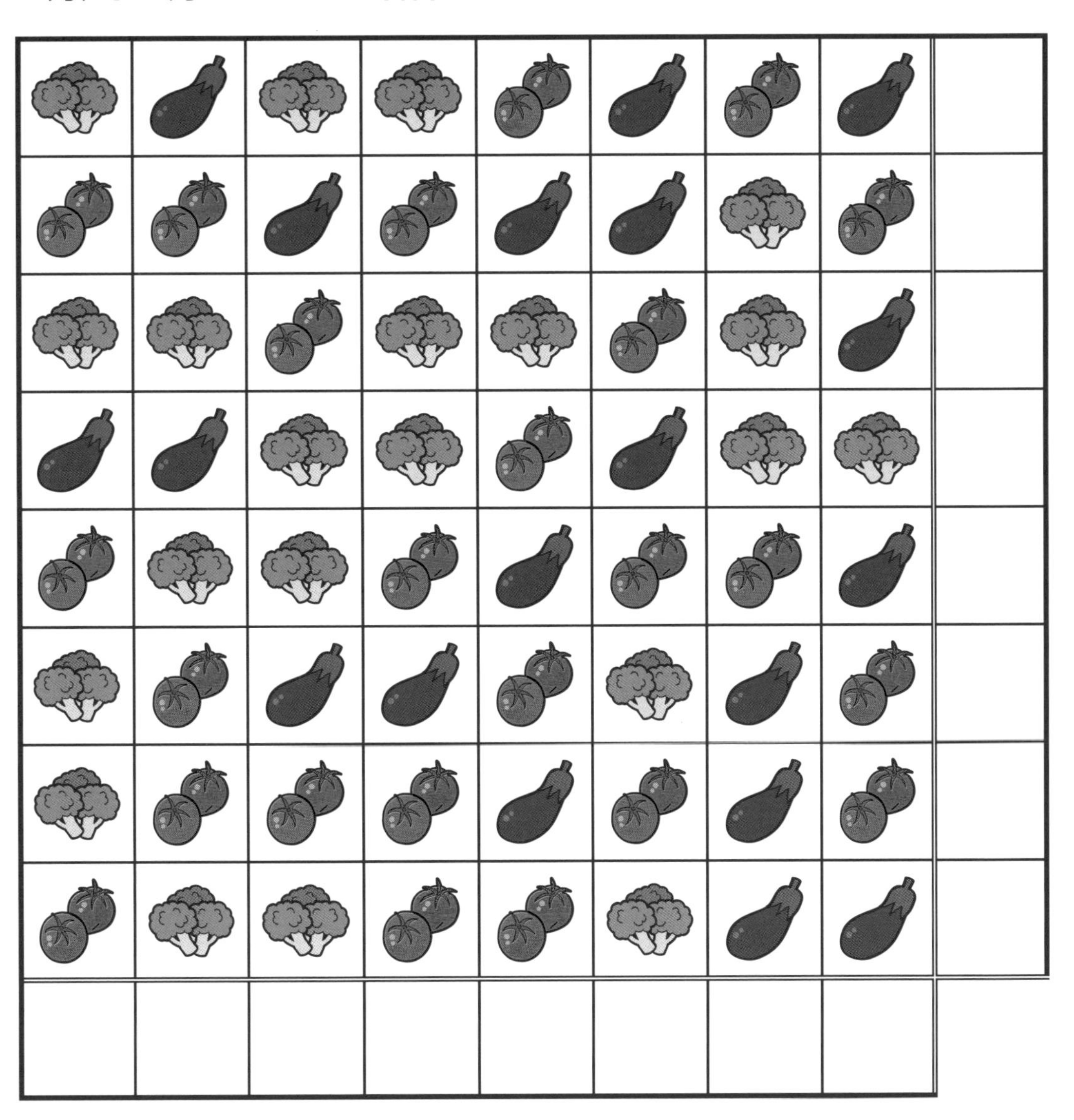

漢字絵

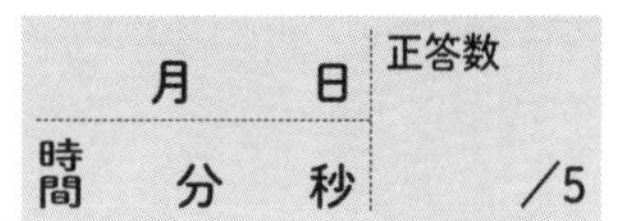

「猫」の字を使った漢字絵です。この中に違う漢字が５つ交ざっていますので、〇で囲みましょう。

間違い　5か所

　　　　　　猫猫　　　　　　　猫猫
　　　　　猫　　猫　　　　　猫　　猫
　　　　　猫　　猫猫猫猫猫猫猫　　猫　　　猫猫猫猫
　　　　　猫猫猫猫猫猫猫猫猫猫猫猫猫　　猫猫猫猫猫猫
　　　　　猫猫猫猫猫猫猫猫猫猫苗猫猫　　猫猫猫猫猫猫
　　　　猫猫　猫　猫猫猫猫猫　猫　猫猫　猫猫猫猫猫猫
　　　猫猫猫　猫　　猫猫猫　　猫　猫猫猫　猫猫猫猫
　　　猫猫猫猫猫猫猫猫猫猫猫猫猫猫猫猫猫　猫猫猫猫
　　　猫猫抽猫猫猫猫　　　猫猫猫猫猫猫猫　猫猫猫猫
　　　猫猫猫猫猫猫猫猫　猫猫猫猫猫猫猫猫　猫猫猫猫
　　　　猫猫猫猫　猫猫　猫猫　猫猫猫猫　　猫猫猫猫
　　　　　猫猫猫猫　　猫　　猫猫猫猫猫　猫猫猫猫猫
　　　　猫猫　猫猫猫猫猫猫猫猫猫猫　猫猫猫猫猫猫
　　猫猫猫猫猫　　　　　　　　　　猫猫猫猫猫猫猫
　猫猫猫猫猫猫猫猫猫猫猫猫猫猫猫猫猫猫猫狐猫猫
猫猫猫猫猫　猫猫猫猫猫猫猫猫猫猫猫猫猫猫猫猫猫
猫猫猫猫　猫猫猫猫猫猫猫猫猫猫猫猫猫猫猫猫猫
　猫　　猫猫猫　　　　　猫猫猫猫猫猫猫猫猫猫猫
　猫猫猫猫猫　　　猫袖　　猫猫猫猫猫猫　　猫猫猫
猫猫猫猫猪猫　猫猫猫　　　猫猫猫猫猫　猫猫猫猫猫猫
猫猫猫猫猫猫　　　猫　　　猫猫猫猫　猫猫猫猫猫猫猫
猫猫猫猫猫猫　猫猫猫猫猫　猫猫猫猫　猫猫猫猫猫猫猫
　猫猫猫猫猫　　　猫　　　猫猫猫猫　猫猫猫猫猫猫
　　猫猫猫猫　　　猫　　　猫猫猫猫　猫猫猫猫猫
　猫猫猫猫猫　　　猫　　　猫猫猫　猫猫猫猫猫猫猫
　猫猫猫猫猫猫　　　　　猫猫猫猫　猫猫猫猫猫猫猫

しりとり計算

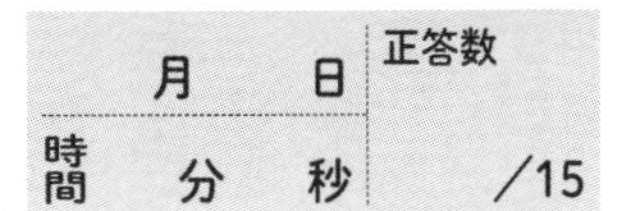

スタートからゴールまで、答えを□に書いて計算しましょう。

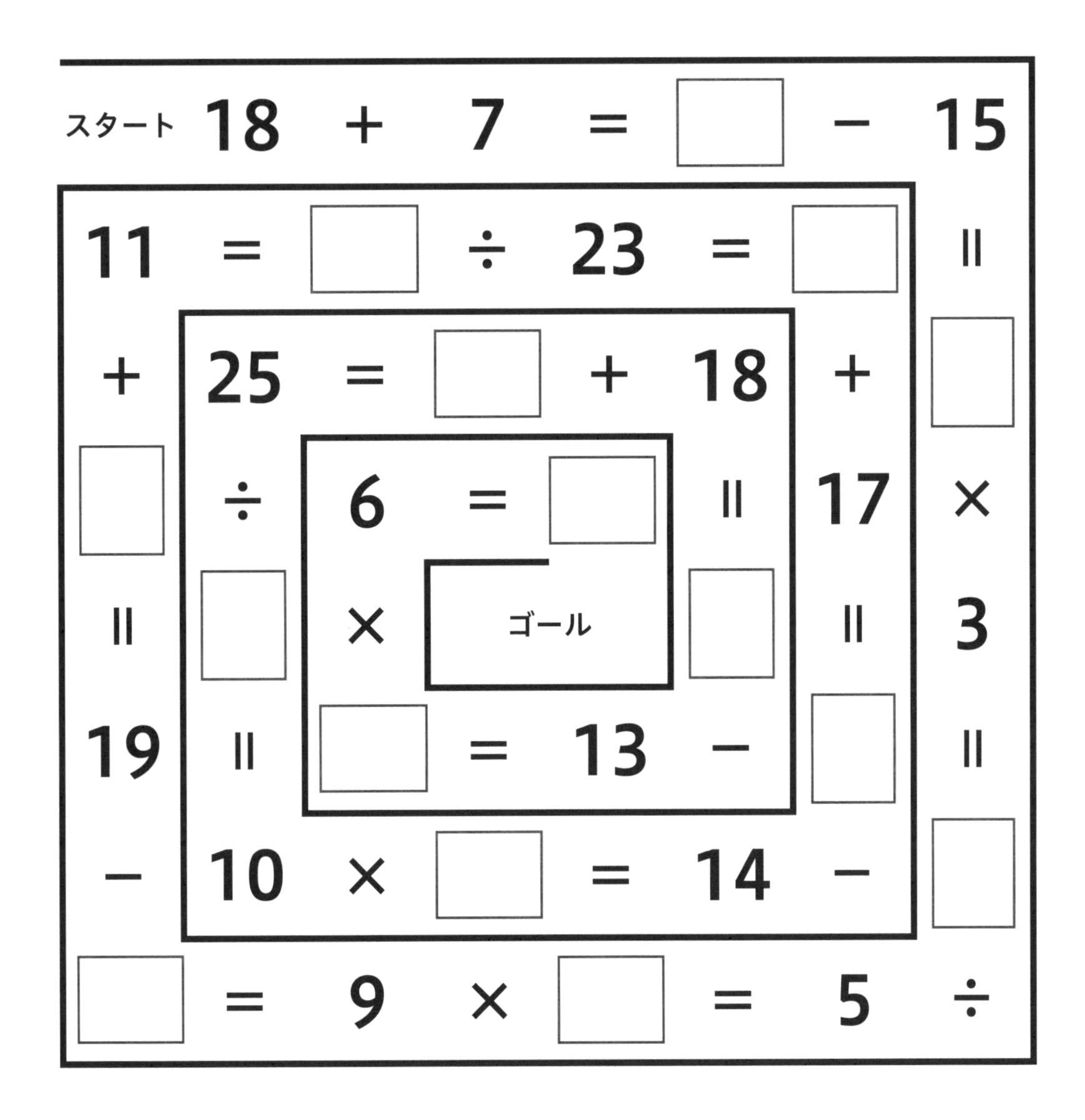

105日 注意集中 記憶 漢字ジグソー

月　日	正答数
時間　分　秒	／9

漢字のパーツを組み合わせて、漢字１字をつくりましょう。

解き方は 21 ページ

①

もとの字

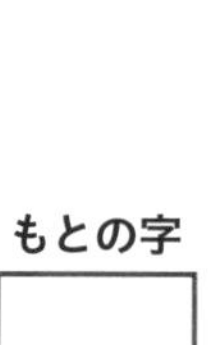

④

もとの字

⑦

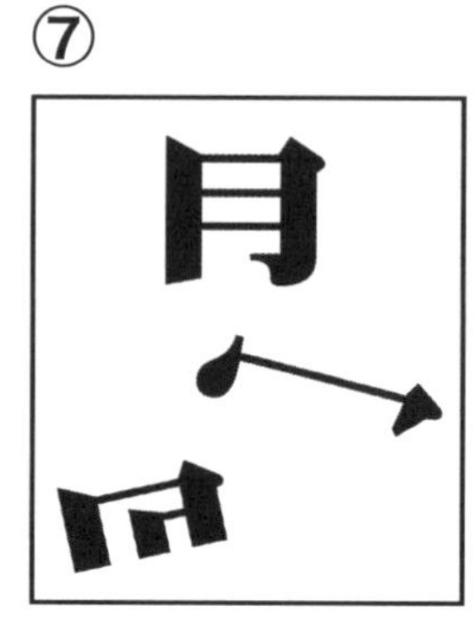

もとの字

②

もとの字

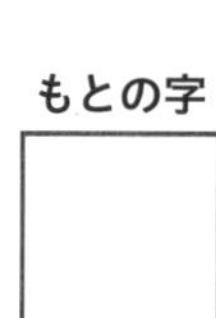

⑤

もとの字

⑧

もとの字

③

もとの字

⑥

もとの字

⑨

もとの字

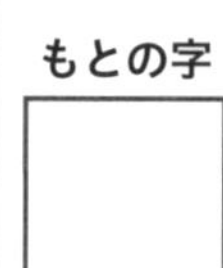

頭の回転　記憶

記憶で足し算

月　日　正答数

時間　分　秒　／6

▲覚えた時間は除く

10 は2　50 は3　100 は5　を 10 〜 20 秒で覚えましょう。

上の問題文を手か紙でかくして、足した数を答えましょう。

① 

＝ 合計

② 100　10　100　50　50　100　＝ 合計

③ 100　100　50　10　100　100　＝ 合計

④ 10　50　10　10　100　100　＝ 合計

⑤ 50　100　50　10　100　50　＝ 合計

⑥ 10　10　50　10　10　100　＝ 合計

仲間はずれ探し

月　日	正答数
時間　分　秒	／2

他の絵と違うパンダとペンギンを１つずつ見つけましょう。

108日 記憶 注意・集中 二字熟語パズル

月　日	正答数
時間　分　秒	／4

二字熟語が３つに分かれています。もとの二字熟語を答えましょう。

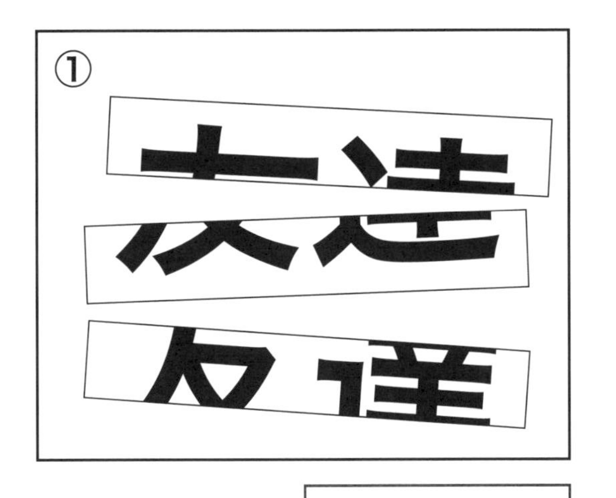

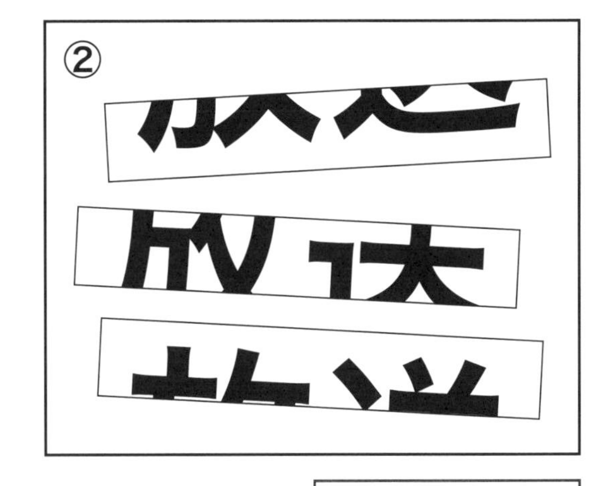

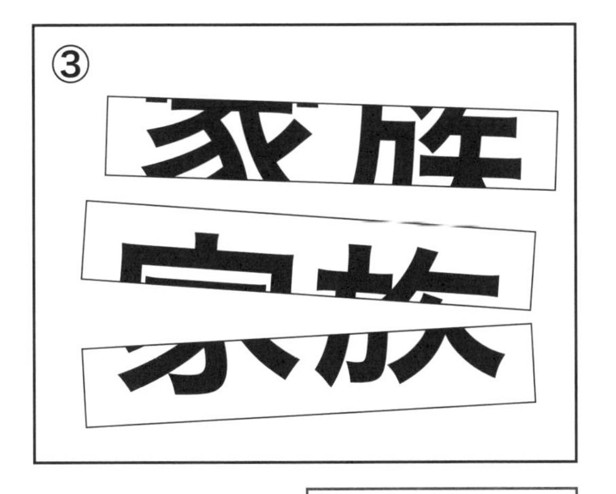

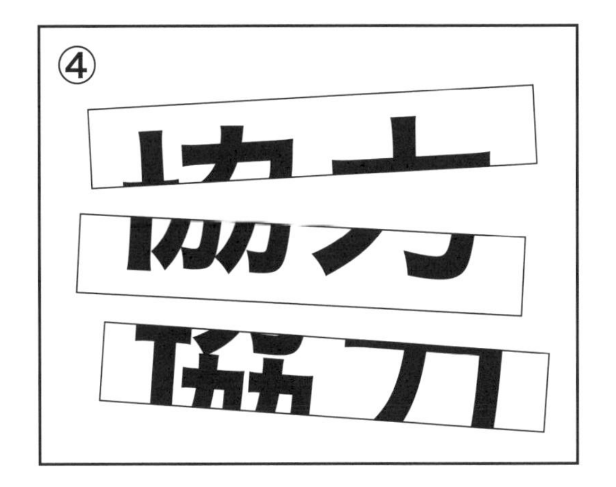

109日 頭の回転 注意集中 計算ぬり絵

月 日	正しいマスの数
時間 分 秒	／24 ／30

計算の答えが下のようになるマスをぬり、最後に現れる文字を答えましょう。正しいマスがぬれていれば正解です。

① 答えが5か6か7になるマスを鉛筆でぬりましょう。

4＋2	6－1	1＋5	3＋4	8＋9	9－4	6＋1	2＋5	6－3	2＋9	3－2	6＋7	7－2
9－3	7＋4	9＋9	5＋1	4－2	9－7	3＋8	9＋4	5＋8	7－6	8＋1	8－2	7＋9
1＋1	8－6	4＋6	2＋3	5－4	5＋2	8－1	1＋4	8＋5	5－1	4＋3	9－2	7＋1
7＋6	6－5	3＋2	5＋5	9＋2	4－3	1＋9	8－3	9－5	4＋1	4－4	1＋6	6＋4
1－1	3＋3	7－4	2＋7	8＋3	5－2	2＋4	3－3	2＋1	8＋7	2－1	7－1	9＋6

② 答えが3か7か11になるマスを鉛筆でぬりましょう。

9－2	5＋6	12－1	2＋2	8＋3	5－1	2＋1	8－2	4＋2	5－2	6－3	3＋0	7＋4
9＋6	9－1	1＋2	5＋7	15－4	3＋5	19－3	3＋8	4－4	14＋4	8－1	1＋7	8－3
7－1	8＋4	7－4	8＋5	4＋3	18－7	1＋3	6－4	7＋7	1＋6	4＋7	16－5	2＋9
19＋7	18－8	6＋1	6＋6	7－0	8＋8	6－5	3＋6	9－7	2＋4	6＋5	4＋9	17－7
4－1	2＋5	9－6	7＋3	3＋4	9－9	5＋5	13－1	19＋3	5－5	9＋2	8－5	5＋2

記憶

熟語でしりとり

札にある熟語の読みでしりとりをします。しりとりですべての札がつながるように左から読みを書いて並べ替えましょう。 解き方は14ページ

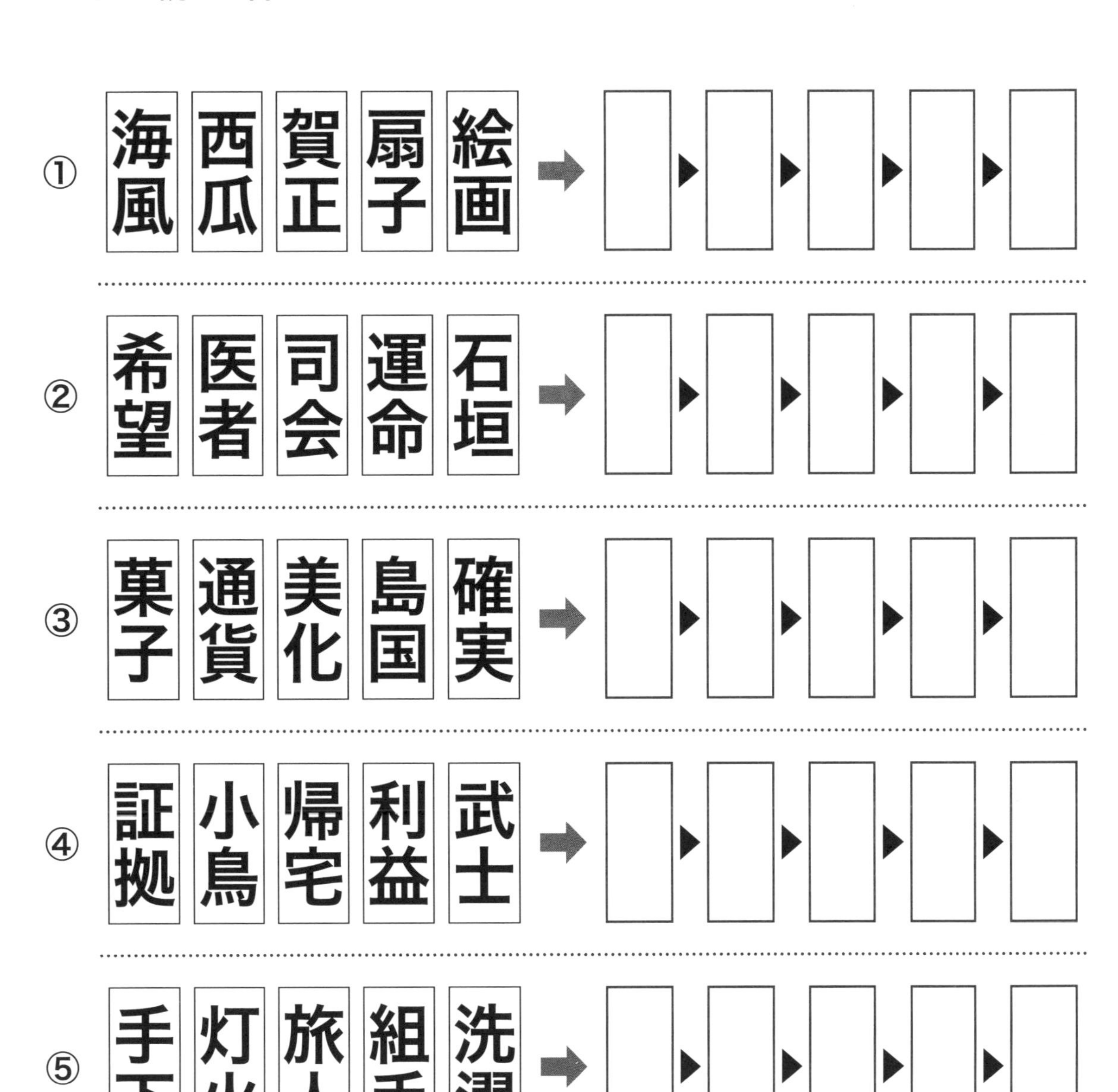

解答

1日

①しつない→いじゅう→うえき→きそく→くろう

②ほうふ→ふみきり→りせい→いじ→じち

③じちょう（じじゅう）→うみべ→べんり→りょういき→きんむ

④じゅくご→ごかい→いふく→くふう→うもう

2日

①大空　②先生　③宇宙　④毎日

3日

4日

スタートから順に

30、4、22、11、26、2、34、16、48、33、35、7、56、33、11

5日

①科　②和　③府

④王　⑤黒　⑥保

⑦郷　⑧雲　⑨連

⑩水　⑪秋　⑫門

⑬海　⑭埼

6日

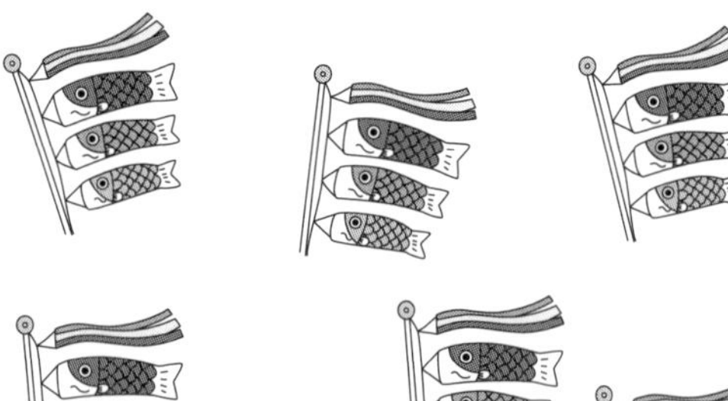

7日

①カメ（亀）

3+1	8−3	6+1	7−4	1+6	7−1	2+2	9−2	5+6	8+9	9+9	2+7	6−4
3+5	2+8	2+1	2−1	3−2	5−2	4+8	7+6	5−1	1+1	6+3	4−2	2+3
4+1	6+9	8+6	1+2	3+9	8−5	8−4	9−3	5+3	8−2	8−7	9+4	3+2
7+1	9−1	4+5	5−4	8+2	6−3	1+3	7−3	6+7	4−1	7+4	5−3	3+3
5−5	1+4	9−6	9+7	8−1	9−7	6−6	3+4	9−8	3+7	7−2	2+5	9−4

②ニジ（虹）

9+1	3−1	3+8	7+6	6−4	4+9	7−7	7+1	1+4	6+9	8−6	3+2	5+5
2−2	1+3	9−1	8−4	9+4	7−5	2+9	4−3	8−1	6+6	9+8	5−4	9−5
8+3	9−8	4+7	1−1	8+9	4−1	7+3	8−3	2+3	5−5	3+1	1+1	8−7
7+8	2+1	5−3	8+5	6−6	5+1	9−2	4+5	3−3	1+9	4+4	5+8	9+6
6+2	9−4	2+2	7−2	2+6	7−1	4+1	1+7	5+3	6−2	2−1	5+9	3+6

8日

①南　②倫　③豆
④恋　⑤後　⑥競
⑦橋　⑧尚

9日

①合言葉、絵空事、有頂天
②大御所、松竹梅、風物詩

（①・②とも順不同）

10日

11日

①9　②18　③42
④2　⑤10　⑥6
⑦32　⑧7　⑨6
⑩26　⑪4　⑫5
⑬15　⑭3　⑮7
⑯54

12日

①唐使－投資

②交官－好感

③期券－危険

④勤時－金字

⑤宙船－抽選

⑥天家－添加

13日

```
　　　　　　　　　　　　　　　　突
　　　　　　　猪　　　突突突突突
　　　　猪猪猪猪　　　　　　　　　　　突
　　　猪猪猪猪猪猪猪猪　　　　突突究突
　　猪　猪猪猪猪猪猪猪猪猪
猪猪猪猪猪　猪猪猪猪渚猪猪猪猪　　　猪
猪猪猪猪　猪猪猪猪猪猪猪猪猪猪猪猪猪
　猪猪猪遂猪猪猪猪猪猪猪猪猪猪猪猪
　　　　猪猪猪猪猪猪猪猪猪猪猪猪猪猪
　　　　猪　猪猪　猪猪猪猪　猪猪猪猪
　　　　　猪　猪　　　　　猪猪　　猪
　　　　　　　　猪　　　猪　　　猪
```

```
　　　　　　　　　　　　　　　　　進
　　　　　　　　　　　　　　　　進　進
　　　　　　　猛　　　　進進進進進推　　進進
　　　　猛猛猛猛　　　　　　　　　　　　進　進
　　　猛猛猛猛猛猛猛猛　　　　進進進進進進進
　　猛　猛猛猛猛猛猛猛猛猛
猛猛猛猛猛　猛猛猛猛猛猛猛猛猛　　　猛
猛猛猛猛　孟猛猛猛猛猛猛猛猛猛猛猛猛
　猛猛猛猛猛猛猛猛猛猛猛猛猛猛猛
　　　猛猛猛猛猛猛猛猛猛猛猛猫猛猛猛
　　猛　猛猛猛猛猛猛猛猛猛猛猛猛猛猛
　猛　　猛　猛猛猛猛猛猛　猛　　　猛猛
　　　猛　　　　　　　　　　猛　　　猛猛
```

14日

① 18　　② 15　　③ 12

15日

①ほうし→しきち→ちか→かけい→いど

②ひつよう→うんき→きじ→じょうき→きじつ

③かち→ちじ→じざけ→けいか→かしつ

④だんさ→さくし→しばい→いなか→かんさ

⑤きんり→りかい→いんが→がっこう→うけみ

16日

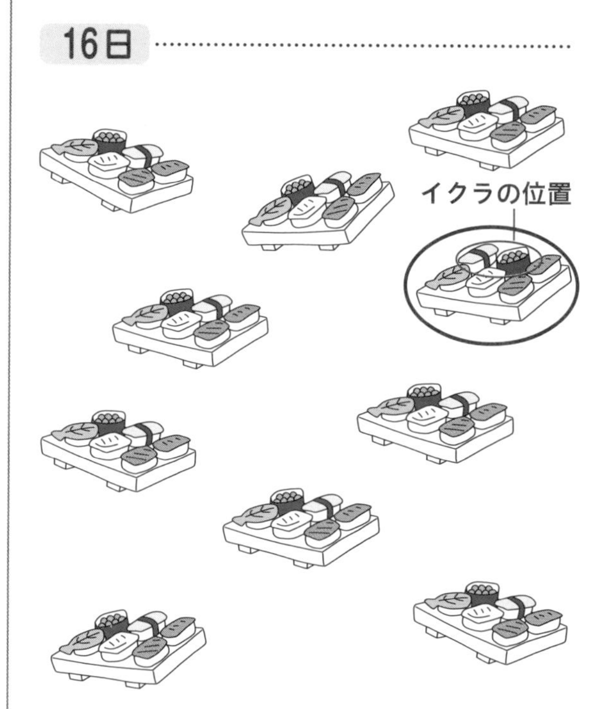

17日

7 と 93

24 と 76

49 と 51

(順不同)

18日

①泳　②空　③花

④崎　⑤陽　⑥帯

⑦時　⑧問　⑨枠

19日

①降　②東　③赤

④青　⑤砂　⑥陸

⑦武　⑧仙　⑨島

⑩稜　⑪鶴　⑫南

⑬小　⑭坊

20日

21日

① 17　② 16　③ 13

22日

23日

18 と 82
41 と 59
45 と 55
(順不同)

24日

①間体－検定
②生日－常備
③刀流－登竜
④士道－指導
⑤浄機－蒸気
⑥下室－加湿
⑦究心－休診

25日

① 3	② 15	③ 10
④ 7	⑤ 25	⑥ 18
⑦ 18	⑧ 4	⑨ 9
⑩ 3	⑪ 6	⑫ 9
⑬ 28	⑭ 4	⑮ 3
⑯ 64		

26日

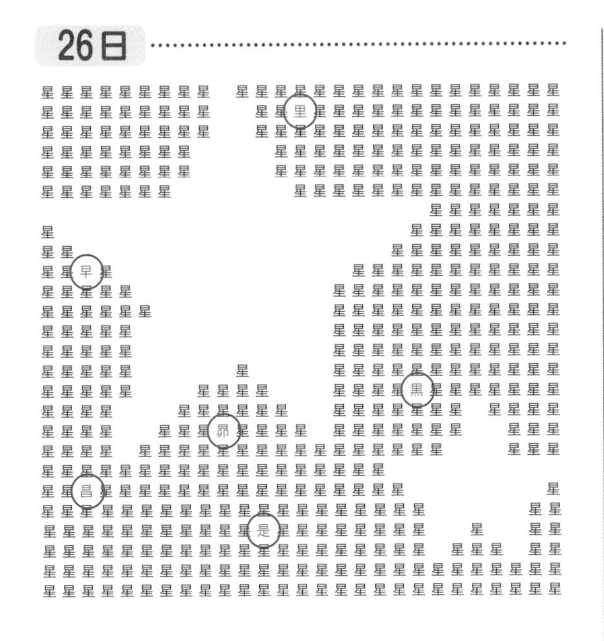

27日

スタートから順に

18、3、51、43、22、2、9、18、54、38、41、51、45、15、5

28日

①花見　②宝物　③食事　④散歩

29日

① 23　② 24　③ 28

30日

31日

①ハレ（晴れ）

6−5	7+2	8−8	1+1	5−4	9+1	3+3	2+6	5+5	5−1	4+2	1+4	5−3
4+4	3−1	2+1	7+9	5+2	6−1	5+4	9−1	3+7	7−4	8−3	6+4	9+2
9+9	6+6	6−3	7−7	4−1	1+5	8−6	7−6	2+3	3+4	3+5	5−5	3+0
7−5	1+3	8+9	9−3	3+2	2+2	4−2	5+6	3+6	8−5	2−2	4+3	9+5
9−2	3−3	2+8	9−8	5+0	6−6	6+1	2+9	8−7	9−6	8−4	9+3	1+7

②ユメ（夢）

3+4	8−6	2+3	8−3	3+9	6−4	7+7	8+2	8−3	4+3	4−3	7−5	1+8
9−7	3+3	7−4	2+1	4+5	1−1	9+1	9−1	7+4	1+2	3−3	4+2	9+7
5+8	6−2	6+6	8−1	1+5	2+5	5−5	4+8	8−4	9+5	5+1	8+6	5−4
5+5	9−4	3−1	6+7	7−1	8+9	9−5	7+9	2−2	8−5	6+1	3+6	7−7
6+3	6−3	7+2	9−6	2+7	5−2	5+4	2+6	9−3	6−6	1+6	9+9	8−8

32日

①図　②婚　③親
④遊　⑤魚　⑥桜
⑦技　⑧砂　⑨貞

33日

① 14　② 19　③ 20

34日

①神社仏閣、電光石火
②他言無用、笑止千万
(①・②とも順不同)

35日

① 9　② 10　③ 12
④ 8　⑤ 19　⑥ 11
⑦ 5　⑧ 20　⑨ 20
⑩ 5　⑪ 42　⑫ 1
⑬ 24　⑭ 4　⑮ 16
⑯ 35

36日

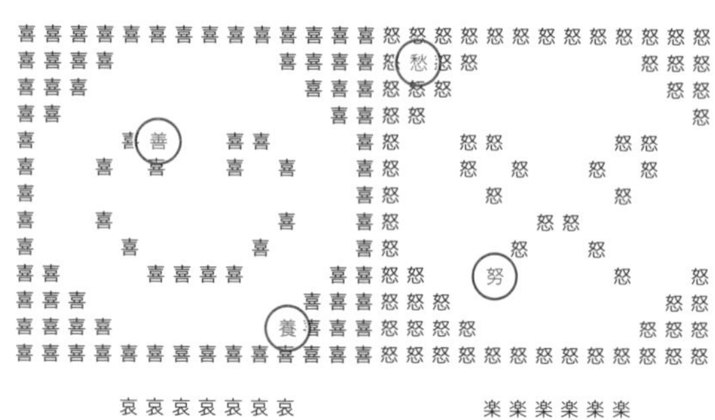

37日

スタートから順に

5、8、48、32、40、4、36、21、3、33、19、20、7、35、39

38日

①げんき→きこう→うなばら→らくご→ごき

②かみがた→たいこ→こくはく→くちさき→きじゅつ

③まんかい→いんど→どき→きもの→のきした

④とけい→いどう→うめぼし→しゅっぱつ→つりざお

⑤こんぶ→ぶか→かなぐ→ぐうすう→うんかい

39日

右上から下に

24、26、18、28、21

左下から右に

28、21、24、18、26

40日

41日

① 12　② 14　③ 10

④ 11　⑤ 13　⑥ 12

42日

①塩　②胆　③会

④幹　⑤笑　⑥局

⑦煙　⑧造　⑨琴

43日

①華　②沢　③阿　④六
⑤十　⑥甲　⑦後　⑧熱
⑨神　⑩屋　⑪岳　⑫暦
⑬楽　⑭白

44日

5 と 95
10 と 90
34 と 66
（順不同）

45日

46日

①気者－着物
②機感－季刊
③身大－寝台
④価額－科学
⑤好会－航海
⑥進国－深刻
⑦光液－交易

47日

①ヘイワ（平和）

6－4	9＋3	8－4	7－1	1＋1	7＋5	9－6	5＋7	**8－1**	9＋6	4－2	7－6	2＋2
5－1	**3＋6**	2＋9	7－3	9－9	1＋4	**7＋1**	**9－2**	8＋7	**1＋8**	**5＋3**	**8＋1**	**2＋6**
6＋1	9－4	**3＋4**	6＋6	5－3	**7＋2**	1－1	**4＋4**	8－6	**1＋6**	3－1	4＋9	**9－1**
3＋1	5－5	4＋1	**2＋7**	6－1	4＋7	2－1	**6＋3**	8＋4	6＋9	2－2	9－7	**1＋7**
2＋3	3＋8	7＋8	3－3	**5＋4**	8－2	9＋8	**3＋5**	7－4	9＋1	**6＋2**	**2＋5**	**5＋2**

②ヒカリ（光）

9－7	8＋1	4＋9	**5－3**	7＋7	3－3	**1＋7**	9＋5	2－1	1＋9	**10－2**	5＋7	**7＋1**
1＋1	4＋2	**4＋4**	8－1	9＋8	**9－5**	**2＋6**	**7－5**	**9－1**	9＋1	**5－1**	6＋7	**8－0**
6－4	**2＋2**	4－1	1＋5	8－5	9＋3	**8－6**	5－4	**8＋0**	8＋8	**4－0**	5＋6	**15－7**
6＋2	9－3	2＋7	7－1	6＋3	**3＋5**	3－2	7＋4	**2－0**	8＋4	4＋5	7－2	**2＋0**
7－3	**1＋3**	**8－4**	**5＋3**	4＋3	5－2	3＋7	**6－2**	**4＋0**	9－6	8－2	**3＋1**	6－5

48日

①世界　②約束　③自由　④会社

49日

①18　②21　③16

④19　⑤15　⑥18

50日

①子守歌、七福神、出来心

②即戦力、不可能、愛弟子

（①・②とも順不同）

51日

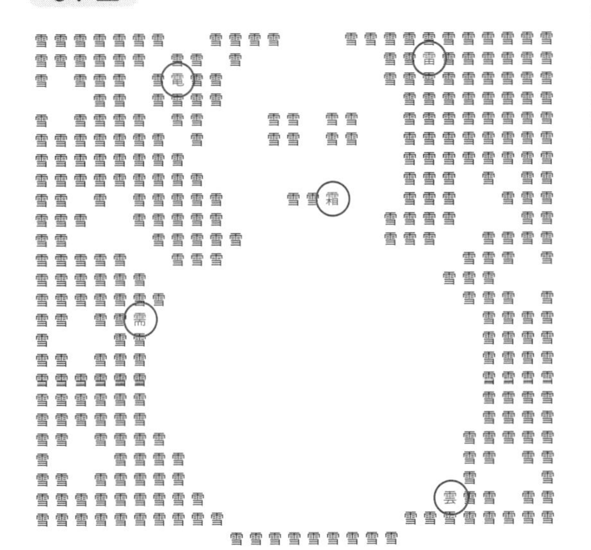

52日

①9　②11　③9　④6

⑤27　⑥7　⑦30　⑧6

⑨4　⑩1　⑪30　⑫14

⑬48　⑭4　⑮9　⑯7

53日

①舞　②侍　③服

④前　⑤峰　⑥怒

⑦鹿　⑧億　⑨場

54日

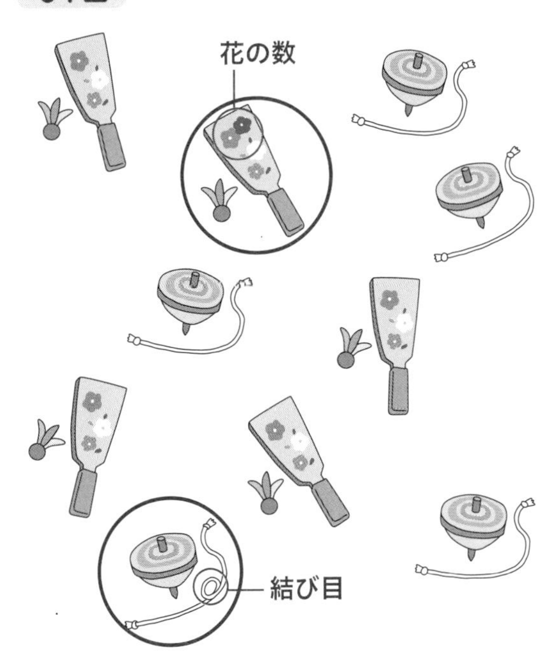

55日

スタートから順に

13、39、25、5、55、23、8、15、3、21、31、14、4、10、20

56日

①甲　②里　③筑
④根　⑤道　⑥草
⑦屋　⑧梯　⑨姫
⑩桂　⑪寒　⑫立
⑬九　⑭月

57日

① 19　② 25　③ 22
④ 20　⑤ 26　⑥ 17

58日

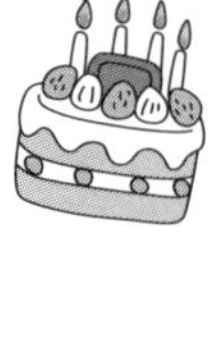

59日

12 と 88
30 と 70
39 と 61
(順不同)

60日

船
船船船船船船船船船船船船船船
船船　　　　　　　　　船船
船　　　　　　　　　　船
船　　　　　　　　　　船
船　　　　　　　　　　船
船船船船船船船船船船船船
船船船船　　　船　　　船船船船
船船船船船船　船　　船鉛船船船船船
船船船船船船船船船船船船船船船船船船船船船船
船船船船南南南船船船船船船船船船船船船
南南　船船南　南船船南南関南南船船南南南　南南
南　南南南南　南南　南南　南

北北　馬　馬　北北北
北北　北　馬馬馬　北　北
北　北　馬馬馬馬　北北　北
北　馬馬馬馬馬　北　北
馬馬　馬馬馬　馬馬馬　馬馬馬
馬馬馬馬馬馬馬馬馬馬馬
馬馬馬馬馬馬鳥馬馬馬　北北北北
北北北北北　馬馬馬馬馬馬馬馬馬馬馬
此北北　馬馬馬馬馬　馬馬馬馬
北北北北　馬馬　馬馬　馬　馬
馬　馬馬馬　馬　馬馬
馬　馬

61日

右上から下に

44、39、37、40、24、35、42、36

左下から右に

32、47、29、43、34、38、30、44

62日

①きよ→よなか→かんれき→きみょう→うでまえ

②そうき→きぐ→ぐんばい→いしき→きじょう

③さかて(ぎゃくて)→てってい→いっち→ちゅうや→やとう

④てっこつ→ついほう→うせつ→つうち→ちこく

⑤とうゆ→ゆみや→やきもの→のり→りし

63日

①暦　②勇　③猫
④昭　⑤楽　⑥港
⑦窓　⑧面　⑨鍋

64日

① 7　② 22　③ 6
④ 9　⑤ 17　⑥ 13
⑦ 24　⑧ 4　⑨ 16
⑩ 17　⑪ 12　⑫ 1
⑬ 28　⑭ 3　⑮ 8
⑯ 45

65日

①家用－火曜
②聴率－調律
③源郷－現況
④行人－後任
⑤定士－停止
⑥均台－近代
⑦間差－監査

66日

① 21　② 25　③ 19
④ 18　⑤ 26　⑥ 29

67日

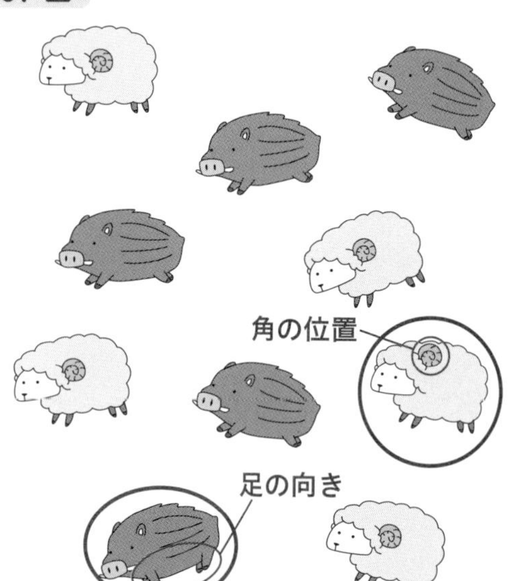

68日

①幸福　②書道　③音楽　④大切

69日

9 と 91
25 と 75
40 と 60
(順不同)

70日

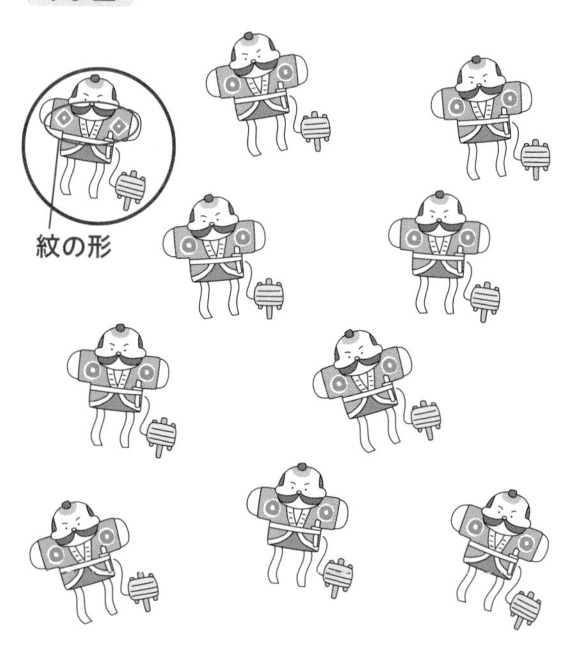

71日

①32　②26　③30
④28　⑤32　⑥34

72日

```
　　　　　　　　　　　　　鳩
　　　　　　　　　　鳩鳩鳩鳩鳩鳩鳩
　　　　　　　　鳩鳩鳩　　　　　鳩鳩鳩
　　　　　鳩鳩鳩鳩旭　　鳩　　　　鳩鳩鳩鳩鳩
　　　鳩鳩鳩　　　鳩　鳩鳩鳩　　　鳩　　　鳩鳩鳩
　鳩鳩鳩　　　　　鳩　　鳩鳩鳩鳩　鳩　　　　　鳩鳩鳩
鳩鳩鳩鳩　　　　　鳩　　　鳩　　　鳩　　　　　鴨鳩鳩鳩
　　　時時時時時時時時時時時時時時時時時時時時時
　　　時時時時時時時時時　　　時時時時時時時時時
　　　時時時時時時時　　　時　　　時時時時時時時
　　　時時時持時時　　　　時　　　　時時時時時時
　　　時時時時時時　　　　時　　　　時時時時時時
　　　時時時時時時　　　　時時時　　時時時時時時
　　　時時時時時時　　　　　　　　　時時時時時時
　　　時時時時時時時　　　　　　　時時時時時時時
　　　時時時時時時時時　　　　　時時時時時昨時時
　　　時時時時時時時時時時時時時時時時時時時時時
　　　　　　　計　　　　計計計　　　　計
　　　　　　　計　　　　計計計　　　　計
　　　　　　　計　　　　計計計　　　　計
　　　　　　　計　　　計針計計計　　計計計
　　　　　　　計　　　計計計計計　　計話計
　　　　　　　計　　　計計計計計　　　計
　　　　　　計計計　　　計計計
　　　　　　計計計
　　　　　　　計
```

73日

スタートから順に

18、36、3、51、28、48、8、24、10、30、6、54、27、52、4

74日

①均　②湖　③急
④百　⑤勝　⑥流
⑦筒　⑧守　⑨班

75日

①14　②15　③10
④11　⑤13　⑥12

76日

77日

①トケイ（時計）

2+2	8−1	2+1	7−4	**1+4**	2+5	7−7	4+3	6+4	7+4	9+9	8+2	**6−1**
8−3	6+6	5−3	5+4	**7−1**	**2+3**	**8−2**	**3+2**	**6−2**	9+8	4−1	**2+4**	9−9
1+5	**7−3**	9+4	**9−5**	**3+1**	9+7	**8−4**	4+8	5+9	8−5	**4+1**	**7−2**	3+9
5−1	3+4	8−6	5−4	2+6	9−1	**1+3**	5−2	8+7	**9−3**	7+6	**5+1**	6−5
3+3	9−6	6+1	4−2	8+6	**9−4**	3+7	2−1	1+6	3−1	5+8	**4+2**	8−7

②キリン

8−1	**6+6**	9−6	5+4	12−1	18−3	**9+3**	4−2	**6+2**	7−4	8+7	5−2	13+5
2+2	**12−4**	**4+4**	**6−2**	**4+0**	6−3	**5+7**	9−4	**7+1**	8−5	**15−3**	1+1	5+6
11+3	2+8	**5−1**	7+2	16−7	6+7	**7−3**	3+6	**9−5**	10+3	**3+9**	2−1	**8−4**
7+5	**8+0**	**2+6**	**10−6**	**1+3**	7−7	1+8	6−6	**8+4**	15−4	7+9	11−6	**3+1**
9+8	13−6	6+3	**4+8**	7−6	8+3	12+1	**1+7**	10−9	4+3	**3+5**	**5+3**	**9−1**

78日

①山道－先導

②動場－同乗

③怠期－大気

④界観－開館

⑤震性－申請

⑥芸品－迎賓

⑦奏者－操車

79日

右上から下に

29、22、35、32、17、26、19、37

左下から右に

15、32、27、24、35、28、37、19

80日

①日進月歩、本末転倒

②世界遺産、単刀直入

（①・②とも順不同）

81日

82日

①10 ②13 ③9
④12 ⑤11 ⑥15

83日

①席 ②鈴 ③原
④曜 ⑤歯 ⑥気
⑦開 ⑧浴 ⑨案

84日

①6 ②27 ③25
④9 ⑤11 ⑥5
⑦18 ⑧3 ⑨8
⑩2 ⑪56 ⑫12
⑬32 ⑭7 ⑮25
⑯18

85日

①登 ②八 ③草
④石 ⑤美 ⑥天
⑦巻 ⑧桜 ⑨岬
⑩条 ⑪苗 ⑫穂
⑬城 ⑭峡

86日

①笑顔 ②新年 ③本気 ④親子

87日

①きんこ→こうほ→ほんし→しんや→やきゅう
②どて→てんき→きしゅ→ゆし→しんけい
③ぎり→りりく→くげ→げんし→しきゅう
④ほうしき→きかく→くんかい→いみ→みかく
⑤えいが→がくぶ→ぶどう→うまみ→みらい

88日

スタートから順に

21、4、19、57、37、48、3、54、55、11、44、17、11、20、2

89日

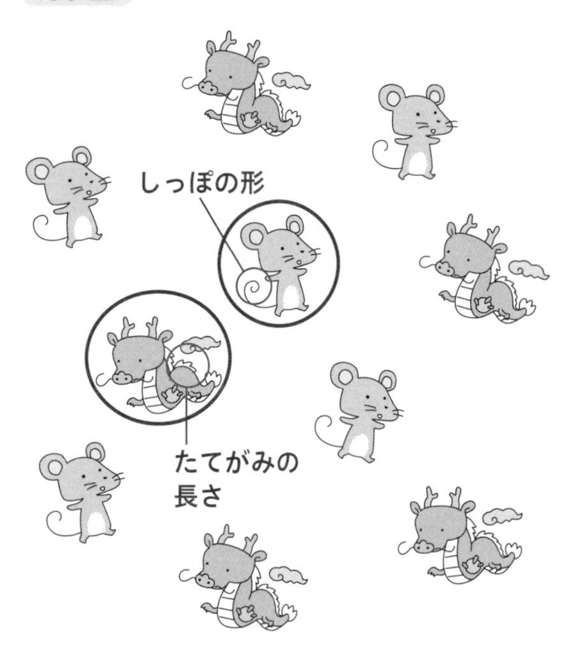

90日

① 140　② 115　③ 185

④ 205　⑤ 155　⑥ 95

91日

①長選－挑戦

②行機－好奇

③性化－成果

④高裁－交際

⑤館料－官僚

⑥信感－新刊

⑦動家－導火

92日

4 と 96

20 と 80

48 と 52

(順不同)

93日

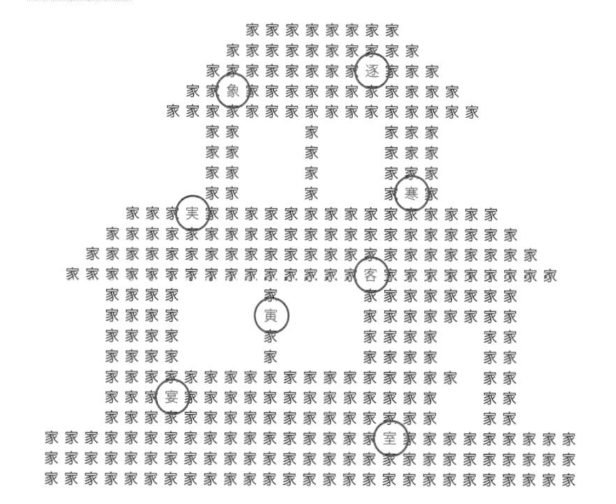

94日

①祭　②嫁　③茶
④節　⑤奈　⑥景
⑦飛　⑧完　⑨奇

95日

右上から下へ

26、30、38、28、34、36、26、40

左下から右へ

32、30、34、42、26、28、30、36

96日

①十八番、未知数、夢心地
②感無量、天気図、大丈夫

（①・②とも順不同）

97日

98日

① 460　② 920　③ 740
④ 820　⑤ 640　⑥ 560

99日

①朝　②乗　③香
④羽　⑤記　⑥豊
⑦高　⑧怒　⑨恋
⑩伊　⑪琶　⑫雪
⑬軽　⑭池

100日

①2 ②25 ③20
④6 ⑤14 ⑥2
⑦6 ⑧3 ⑨7
⑩14 ⑪24 ⑫6
⑬36 ⑭6 ⑮7
⑯72

101日

①検家－献花
②刊誌－監視
③究職－給食
④天荒－転校
⑤書法－処方
⑥継者－傾斜
⑦向車－公社

102日

右上から下へ

40、36、32、42、32、38、30、34

左下から右へ

30、34、36、28、36、38、40、42

103日

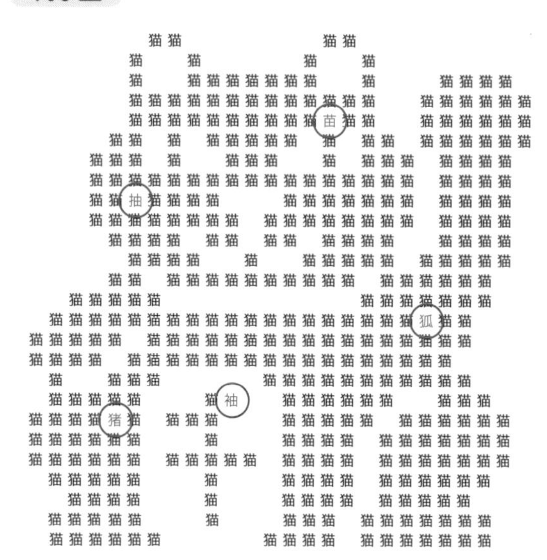

104日

スタートから順に

25、10、30、6、54、35、46、2、19、5、50、2、20、7、42

105日

①弦 ②型 ③幅
④約 ⑤変 ⑥次
⑦骨 ⑧坂 ⑨雲

106日

① 17　② 23　③ 25
④ 19　⑤ 21　⑥ 16

107日

108日

①友達　②放送　③家族　④協力

109日

①ワライ（笑い）

4+2	6−1	1+5	3+4	8+9	9−4	6+1	2+5	6−3	2+9	3−2	6+7	7−2
9−3	7+4	9+9	5+1	4−2	9−7	3+8	9+4	5+8	7−6	8+1	8−2	7+9
1+1	8−6	4+6	2+3	5−4	5+2	8−1	1+4	8+5	5−1	4+3	9−2	7+1
7+6	6−5	3+2	5+5	9+2	4−3	1+9	8−3	9−5	4+1	4−4	1+6	6+4
1−1	3+3	7−4	2+7	8+3	5−2	2+4	3−3	2+1	8+7	2−1	7−1	9+6

②コドモ（子ども）

9−2	5+6	12−1	2+2	8+3	5−1	2+1	8−2	4+2	5−2	6−3	3+0	7+4
9+6	9−1	1+2	5+7	15−4	3+5	19−3	3+8	4−4	14+4	8−1	1+7	8−3
7−1	8+4	7−4	8+5	4+3	18−7	1+3	6−4	7+7	1+6	4+7	16−5	2+9
19+7	18−8	6+1	6+6	7−0	8+8	6−5	3+6	9−7	2+4	6+5	4+9	17−7
4−1	2+5	9−6	7+3	3+4	9−9	5+5	13−1	19+3	5−5	9+2	8−5	5+2

110日

①せんす→すいか→かいが→がしょう→うみかぜ

②しかい→いしがき→きぼう→うんめい→いしゃ

③びか→かくじつ→つうか→かし→しまぐに

④ぶし→しょうこ→ことり→りえき→きたく

⑤せんたく→くみて→てした→たびびと→とうか（ともしび）

認知症が気になる方へ
川島隆太教授の健康 脳ドリル　110日　ひらめきパズル編

2020年8月 4 日　　第1刷発行
2021年6月28日　　第3刷発行

監修者	川島隆太
発行人	中村公則
編集人	滝口勝弘
編集長	古川英二
発行所	株式会社　学研プラス 〒141-8415　東京都品川区西五反田2-11-8
印刷所	中央精版印刷株式会社

STAFF　編集制作　株式会社 エディット
本文DTP　株式会社 千里
校正　奎文館
イラスト　角田正己（illustration　Poo）

この本に関する各種お問い合わせ先
●本の内容については、下記サイトのお問い合わせフォームよりお願いします。
https://gakken-plus.co.jp/contact/
●在庫については　Tel 03-6431-1250（販売部直通）
●不良品（落丁・乱丁）については　Tel 0570-000577
学研業務センター
〒 354-0045　埼玉県入間郡三芳町上富 279-1
●上記以外のお問い合わせは Tel 0570-056-710（学研グループ総合案内）

学研の書籍・雑誌についての新刊情報・詳細情報は、下記をご覧ください。
学研出版サイト　https://hon.gakken.jp/